1000 englische Redensarten

Mit Anwendungsbeispielen, Übersetzungen und Register

Von der

LANGENSCHEIDT-REDAKTION

und

R. J. QUINAULT

Neubearbeitung

LANGENSCHEIDT

BERLIN · MÜNCHEN · WIEN · ZÜRICH

Illustrationen: Eberhard Holz

Auflage: 12. 11. 10. 9. 8. | Letzte Zahlen
Jahr: 1992 91 90 89 88 | maßgeblich

© 1979 Langenscheidt KG, Berlin und München
Druck: Druckhaus Langenscheidt KG, Berlin-Schöneberg
Printed in Germany · ISBN 3-468-43121-X

Vorwort

Das Verstehen und die richtige Anwendung von idiomatischen Redensarten bereiten dem Englisch-Lernenden häufig große Schwierigkeiten. Die englische Sprache ist reich an solchen spezifischen Wendungen; die Kenntnis von 1000 idiomatischen Redensarten der gesprochenen und geschriebenen Sprache ist daher für die Beherrschung des Englischen unerläßlich.

Ein typisches Merkmal der idiomatischen Redewendungen ist es, daß sich ihre Bedeutung nicht durch die Übersetzung der einzelnen Bestandteile der Wendung erschließt. Ja häufig führt eine solche Wort-für-Wort-Übersetzung sogar völlig in die Irre: So bedeutet beispielsweise "*to beat about the bush*" keineswegs „auf den Busch klopfen", sondern „wie die Katze um den heißen Brei herumgehen". Dieses Beispiel zeigt, daß eine Sinnverlagerung auf die Summe der Einzelwörter stattfindet, die das Einprägen von idiomatischen Redensarten als Ganzes notwendig macht. Das vorliegende Buch ist dafür ein hervorragendes Hilfsmittel.

Langenscheidts „1000 idiomatische Redensarten Englisch", die im Jahre 1936 zum ersten Mal erschienen und 1959 neu bearbeitet wurden, haben ihren Gebrauchswert in über 25 Auflagen bewiesen. Mit dem Wortschatz ist aber auch die Idiomatik einer Sprache der Entwicklung und dem Wandel unterworfen. Es war daher jetzt an der Zeit, eine grundlegende Neubearbeitung des Werkes vorzunehmen. Das vorliegende Buch entspricht nun den heutigen sprachlichen Bedürfnissen. Es wurde auf der Grundlage englischer Quellen neu geschrieben und dann nochmals von "*native speakers*" überprüft. Neu sind auch die humorvollen Illustrationen, in denen dem Lernenden die betreffende Redensart plastisch vor Augen gestellt wird.

Die Redensarten sind alphabetisch nach englischen Stichwörtern geordnet (z. B. *DOWN*). Im Stichwortartikel werden die einzelnen Redensarten dann in fetter Schrift (z. B. **to be down and out**) mit Übersetzung vorgestellt. Jeder Redensart ist ein Anwendungsbeispiel zugeordnet (z. B. *He went bankrupt and now he is down and out*), das dann wiederum übersetzt wird. Hinweise auf die Sprachgebrauchsebene (z. B. Umgangssprache oder Slang) verhelfen zu einer auch in dieser Hinsicht richtigen Anwendung der Redensarten. Ein Register am Ende des Buches ermöglicht den Zugriff über die deutsche Wendung oder Übersetzung.

Abkürzungen

Am.	= amerikanisches Englisch
Br.	= britisches Englisch
colloq.	= umgangssprachlich
sl.	= Slang
s.o.	= someone
s.th.	= something
od.	= oder
etw.	= etwas
j-m	= jemandem
j-n	= jemanden
j-s	= jemandes

A

ABOUT
— to be about to do s.th.
im Begriffe sein, etw. zu tun, gerade etw. tun wollen:
He was about to go away for a holiday, but a car accident thwarted his plans.
Er wollte gerade auf Urlaub gehen, aber ein Autounfall machte seine Pläne zunichte.

— what about . . .?
was ist mit . . .?, wie steht's mit . . .?, wie wär's mit . . .?:
Well, what about your red dress? Can't you wear that?
Was ist mit deinem roten Kleid? Kannst du das nicht anziehen?
What about a cup of tea?
Wie wär's mit einer Tasse Tee?

ACCORD
— of one's own accord
freiwillig, von selbst, aus eigenem Antrieb:
She helped the children of her own accord.
Sie half den Kindern aus eigenem Antrieb.

ACCOUNT
— on account of
wegen:
They returned home on account of bad weather.
Wegen schlechten Wetters fuhren sie wieder nach Hause.

— on no account, not on any account
keineswegs, auf keinen Fall:
Don't on any account use this word.
Gebrauche auf keinen Fall dieses Wort!

ADVANTAGE
— to take advantage of s.o. (s.th.)
j-n übervorteilen, j-n (etw.) ausnutzen:
The taxi-driver took advantage of the foreigner's ignorance.
Der Taxifahrer nutzte die Unwissenheit des Fremden aus.

AFTER
— **after all**
   schließlich, am Ende, (also) doch:
After all, he is my friend.
Er ist schließlich mein Freund.
He was admitted to the university after all.
Am Ende wurde er doch zur Universität zugelassen.

— **to be after s.o. (s.th.)**
   hinter j-m (etw.) her sein, j-n (etw.) suchen:
The police are after you!
Die Polizei sucht dich!
Why has he suddenly become so friendly? What is he after?
Warum ist er auf einmal so freundlich? Was hat er vor?

AGAIN
— **as much again**
   noch einmal soviel:
He offered as much again for the house.
Er bot doppelt soviel für das Haus.

AGE
— **to be (to come) of age**
   volljährig sein (werden):
When he comes of age he will be responsible for what he does.
Wenn er volljährig ist, ist er verantwortlich für das, was er tut.

AIR
— **to be on the air**
   (im Rundfunk) gesendet werden, (im Rundfunk) sprechen:
The debate will be on the air from 9 to 11 a.m.
Die Debatte wird von 9 bis 11 Uhr (im Rundfunk) übertragen.

— **to give oneself** (od. **to put on**) **airs**
   vornehm tun:
He has given himself airs since he bought a big car.
Seit er einen großen Wagen gekauft hat, tut er vornehm.

to give oneself airs

ALIVE
— alive and kicking
  gesund und munter:
Yes, my old aunt is still alive and kicking, in spite of the terrible winter we've just had.
Ja, meine alte Tante ist immer noch gesund und munter, trotz des schrecklichen Winters, den wir gerade hinter uns haben.

ALL
— that's what it is all about
  darum geht es (bei der ganzen Sache):
Yes, you will sometimes make a bad bargain. But that's what business is all about.
Ja, manchmal fällt man natürlich herein. Aber so ist das nun einmal im Geschäftsleben.

— all along
  während der ganzen Zeit, schon immer:

I felt all along that something was wrong.
Ich fühlte die ganze Zeit, daß etwas nicht stimmte.

— to be all legs (ears, etc.)
   fast nur aus Beinen bestehen (ganz Ohr sein):
The girl seemed to be all legs.
Das Mädchen schien nur aus Beinen zu bestehen.
When their mother told a story, the children were all ears.
Wenn ihre Mutter eine Geschichte erzählte, waren die Kinder
ganz Ohr.

— to be all at sea
   (völlig) ratlos sein, ,,schwimmen'':
He had not prepared his speech, and soon he was all at sea.
Er hatte seine Rede nicht vorbereitet und kam bald völlig ins
Schwimmen.

— to be all there [colloq.]
   (geistig) ganz da sein, auf Draht sein:
*The old lady in the flat upstairs behaves very strangely. I don't
think she can be quite all there.*
Die alte Dame in der oberen Wohnung benimmt sich sehr seltsam.
Ich glaube, sie ist nicht ganz richtig (im Oberstübchen).

— all the more
   um so mehr:
*It is a difficult task, but that is all the more reason to work hard at
it.*
Es ist eine schwierige Aufgabe, aber um so mehr Grund besteht,
hart daran zu arbeiten.

— all but
   fast, beinah:
The work is all but finished.
Die Arbeit ist fast fertig.

— that's him all over!
   das sieht ihm ähnlich!, das ist typisch für ihn!:
He lost his keys, that's him all over!
Er hat seine Schlüssel verloren, das ist typisch (für ihn)!

8

— **to be all in** [colloq.]

„fertig sein'', „total erledigt sein'':

When they had climbed the mountain they were all in.

Als sie den Berg erstiegen hatten, waren sie vollkommen fertig.

— **all the same**

1. trotzdem:

He had a lot of money. All the same he wouldn't lend his friend any.

Er hatte viel Geld. Trotzdem lieh er seinem Freund nicht einen Pfennig.

2. gleich(gültig), egal:

Whether you agree or not, it's all the same to me.

Ob du einverstanden bist oder nicht ist mir ganz gleichgültig.

— **it's all up with him**

mit ihm ist es aus:

Whatever the doctors do now, it's all up with him.

Was auch die Ärzte tun, mit ihm ist es aus.

— **that's all very well**

das ist ja alles gut und schön:

That's all very well, but who will pay for it?

Das ist ja alles ganz gut und schön, aber wer bezahlt es?

— **(it's) all yours**

du kannst es haben, es steht dir zur Verfügung:

May we use this room, please? — There you are, it's all yours.

Können wir bitte diesen Raum benutzen? — Bitte, er steht ganz zu eurer Verfügung.

ALLOW

— **to allow for s.th.**

etw. berücksichtigen, bedenken:

Allowing three hours for the journey, you will arrive home about 8 p.m.

Wenn man drei Stunden für die Fahrt rechnet, bist du abends um 8 zu Hause.

ALLOWANCE
— **to make allowance(s) for s.th.**

etw. berücksichtigen, bedenken, (j-m) etw. zugute halten:

You must make allowance(s) for his lack of experience.

Sie müssen ihm seinen Mangel an Erfahrung zugute halten.

ALSO-RAN
— **to be an also-ran**

unter „ferner liefen" rangieren:

He applied for the job of managing director, but there were many more experienced applicants so he was only an also-ran.

Er hat sich um den Posten des Direktors beworben, aber es waren viele erfahrenere Bewerber da, so daß er nur unter „ferner liefen" rangierte.

AMISS
— **to take s.th. amiss**

etw. übelnehmen:

Don't take it amiss, if I ask you this personal question.

Nehmen Sie es mir nicht übel, wenn ich diese persönliche Frage stelle.

ANSWER
— **to answer for s.th.**

einstehen für etw., sich für etw. verantworten:

I cannot answer for his innocence.

Ich kann nicht dafür einstehen, daß er unschuldig ist.

You will have to answer for what you have done.

Du wirst dich für das, was du getan hast, verantworten müssen.

ANYTHING
— **anything but**

alles andere als:

He is anything but shy.

Er ist alles andere als schüchtern.

ARMS
— **to be up in arms about** (od. **over**) **s.th.**

heftig empört sein wegen (od. über) etw.:

The tenants are all up in arms about the latest increase in their rents.

The tenants are all up in arms about the latest increase in their rents.
Die Mieter sind alle über die jüngste Mieterhöhung hell empört.

AS

— **as it were**

sozusagen, gewissermaßen:

He was, as it were, drunk with the unaccustomed sunshine.
Er war von dem ungewohnten Sonnenschein wie betrunken.

ASK

— **ask me another!** [colloq.]

frag mich bloß das nicht!, ich weiß es nicht!, das weiß ich auch nicht!:

If they don't like his behaviour, why don't they tell him? — Ask me another!

Wenn sie an seinem Benehmen etwas auszusetzen haben, warum sagen sie es ihm nicht? — Das weiß ich auch nicht.

— **he asked for it** (od. **for trouble**) [colloq.]

er wollte es ja so haben, er hat es selbst herausgefordert:
He can't complain about the trouble he is in. He asked for it.
Er kann sich nicht über die Schwierigkeiten beklagen, die er hat.
Er hat sie ja selbst herausgefordert.

ASKANCE

— **to look askance at s.o. (s.th.)**

j-n (etw.) schief (od. mißtrauisch) ansehen:
His proposals were looked askance at by his colleagues.
Seine Vorschläge wurden von seinen Kollegen mißtrauisch aufgenommen.

ASKING

— **it's yours** (od. **you may have it**) **for the asking**

ein Wort von dir genügt, und du bekommst es:
You'd like to have this picture? It's yours for the asking.
Du hättest gern dieses Bild? Du brauchst es nur zu sagen.

ASS

— **to make an ass of oneself**

sich lächerlich machen:
You shouldn't wear that hat. You'll make an ass of yourself.
Du solltest den Hut nicht tragen. Du machst dich ja lächerlich.

AXE

— **to have an axe to grind**

auf seinen Vorteil bedacht sein, eigennützige Zwecke verfolgen:
He joined that party only because he has an axe to grind.
Er ist dieser Partei nur beigetreten, weil er sein Privatinteresse verfolgen will.

to be left holding the baby

B

BABY

— **to be left holding the baby** [colloq.]
   die Sache am Hals haben, die Verantwortung aufgehalst bekommen haben:
*They had all promised to help me, but then one after the other
dropped out and left me holding the baby.*
Alle hatten versprochen, mir zu helfen, aber dann fiel einer nach
dem anderen ab, und ich hatte die ganze Sache am Hals.

— **that's your (his, her, their) baby** [colloq.]
   das ist dein (sein, ihr) „Bier", das ist deine (seine, ihre) Sache:
I don't have to find the answer to the question. That's your baby.
Es ist nicht meine Aufgabe, die Antwort auf diese Frage zu finden.
Das ist dein Problem.

BACK

— to have one's back to the wall
in die Enge getrieben sein:
The questions put to him were so searching, he had his back to the wall.
Die Fragen, die man ihm stellte, waren so bohrend, daß er sich in die Enge getrieben fühlte.

— to put one's back into s.th.
sich bei etw. ins Zeug legen, sich in etw. „hineinknien":
You will be able to finish your work in time, if you put your back into it.
Du wirst deine Arbeit rechtzeitig zu Ende bringen, wenn du dich nur richtig hineinkniest.

— to put s.o.'s back up
j-n „auf die Palme bringen":
The boss is rather irritable today. Be careful not to put his back up.
Der Chef ist heute ziemlich gereizt. Sieh dich vor, daß du ihn nicht auf die Palme bringst.

— to back the wrong horse
aufs falsche Pferd setzen:
Those who voted for that candidate may now find that they have backed the wrong horse.
Diejenigen, die für den Kandidaten gestimmt haben, sehen jetzt vielleicht ein, daß sie aufs falsche Pferd gesetzt haben.

— to back down (from)
seine Meinung aufgeben, von seiner Meinung abrücken:
He backed down from what he had said the day before.
Er rückte von dem ab, was er am Tag vorher gesagt hatte.

— to back out (of)
abspringen (von), „aussteigen" (aus), „kneifen":
After saying he agreed to the terms, he tried to back out by making a lot of conditions.
Nachdem er sich mit den Bedingungen einverstanden erklärt hatte, versuchte er abzuspringen, indem er viele Einschränkungen machte.

— to back s.o. up
   j-m den Rücken stärken, j-n unterstützen:
I want you to back me up in the matter.
Ich möchte, daß Sie mich in dieser Sache unterstützen.

BAD

— he is in a bad way
   es geht ihm schlecht, er ist übel dran:
He is in a bad way. He has lost an eye in an accident.
Er ist übel dran. Er hat bei einem Unfall ein Auge verloren.

BAG

— bag and baggage
   mit Sack und Pack:
He was turned out of the house, bag and baggage.
Er wurde mit Sack und Pack aus dem Haus gejagt.

— a bag of bones
   ein ,,Gerippe'', eine dürre Person, ,,Haut und Knochen'':
After his illness he is just a bag of bones.
Nach seiner Krankheit ist er nur noch Haut und Knochen.

— the whole bag of tricks
   der ganze Krempel:
We'll need the whole bag of tricks for repairing your car.
Wir werden den ganzen Krempel brauchen, um dein Auto zu reparieren.

— to be in the bag [colloq.]
   sicher sein (von einem erhofften Ergebnis oder Ausgang eines
   Geschehens):
Their victory was as good as in the bag.
Ihr Sieg war so gut wie sicher.

— to have s.th. in the bag [colloq.]
   etw. (sicher) in der Tasche haben:
We have the result in the bag.
Das (günstige) Ergebnis ist uns sicher.

— **bags of . . .** [sl.]

„massig" . . ., . . . wie Heu:

You have bags of time.

Du hast massig Zeit.

BALL

— **to be on the ball** [colloq.]

„auf Draht" sein:

He's successful, because in business matters he's always on the ball.

Er hat Erfolg, weil er in geschäftlichen Angelegenheiten immer auf Draht ist.

BANG

— **to go off** (Am. **over) with a bang** [colloq.]

großartig klappen, „hinhauen":

Her first performance went off with a bang.

Ihr erstes Auftreten hat prima hingehauen.

BARGAIN

— **it's a bargain!**

abgemacht!:

You can have this bicycle for £ 10. — All right, it's a bargain!

Für 10 Pfund können Sie dieses Fahrrad haben. — Gut, abgemacht!

— **into the bargain**

obendrein, noch dazu:

I tried to do it but failed, and lost money into the bargain.

Ich habe es versucht, aber vergeblich, und obendrein habe ich noch Geld verloren.

— **to bargain for s.th.**

mit etw. rechnen, auf etw. gefaßt sein:

His refusal was more than we had bargained for.

Auf seine Weigerung waren wir nicht gefaßt.

to bark up the wrong tree

BARK

— **to bark up the wrong tree** [colloq.]
  auf dem Holzweg sein:
If you think it is Harry's fault, you're barking up the wrong tree.
Wenn du denkst, Harry ist schuld daran, bist du auf dem Holzweg.

— **his (her) bark is worse than his (her) bite**
  Hunde, die bellen, beißen nicht:
Don't be afraid of him, his bark is worse than his bite.
Hab keine Angst vor ihm; Hunde, die bellen, beißen nicht.

BAT

— **not to bat an eyelid** [colloq.]
  nicht mit der Wimper zucken:
He heard the bad news without batting an eyelid.
Er nahm die schlechte Nachricht auf, ohne mit der Wimper zu zucken.

— **to have bats in the belfry** [colloq.]
   einen kleinen Vogel haben, (ein bißchen) verrückt sein, ,,spin-
   nen'':
*The old lady must have bats in the belfry — she's always talking
to people who aren't there.*
Die alte Dame muß ein bißchen verrückt sein — sie spricht ständig mit Leuten, die gar nicht da sind.

BEAM
— **to be on one's beam-ends**
   pleite sein:
After a night of gambling in the casino he was on his beam-ends.
Nachdem er eine Nacht im Casino gespielt hatte, war er pleite.

BEAN
— **not to have a bean** [sl.]
   keinen Pfennig haben, völlig ,,abgebrannt'' sein:
*Don't believe his stories about all the money he has. Everybody
knows that he hasn't a bean.*
Glaub ihm nicht seine Lügengeschichten über all sein Geld. Es
weiß doch jeder, daß er keinen Pfennig hat.
— **to be full of beans** [sl.]
   voll Schwung und Energie sein:
*Though he has worked from morning till night he is still full of
beans.*
Er hat zwar von morgens bis abends gearbeitet, aber er ist immer
noch voll Schwung und Energie.
— **to spill the beans** [sl.]
   alles ausquatschen:
*Don't ever let him into a secret, because he always spills the
beans.*
Vertraue ihm niemals ein Geheimnis an, denn er quatscht immer
alles aus.

BEAR
— **to bear up against** (od. **under**) **s.th.**
   sich gegen etw. behaupten, etw. (tapfer) ertragen:
She bore up well against the death of her husband.
Sie kam tapfer über den Tod ihres Mannes hinweg.

— **to bear s.o. a grudge**
   j-m grollen:
She still bears me a grudge because I forgot to send her a birthday card.
Sie ist mir immer noch böse, weil ich vergessen habe, ihr eine Geburtstagskarte zu schicken.

— **to bear witness to s.th.**
   für etw. Zeugnis ablegen, etw. bestätigen:
The latest findings of the police bear witness to his innocence.
Die neuesten Ergebnisse der Polizei bestätigen seine Unschuld.

BEAT

— **to beat about the bush**
   wie die Katze um den heißen Brei herumgehen, um die Sache herumreden:
Don't beat about the bush. Tell me plainly what you mean.
Rede nicht um die Sache herum! Sag mir offen, was du meinst.

— **to beat a retreat**
   das Feld räumen, klein beigeben:
When he saw he had no chance he beat a retreat.
Als er sah, daß er keine Chance hatte, gab er klein bei.

— **to beat s.o. (the price) down**
   j-n (den Preis) herunterhandeln:
He wanted £ 15 for the table, but I beat him (od. the price) down to £ 12.
15 Pfund wollte er für den Tisch haben, aber ich habe ihn (od. den Preis) auf 12 Pfund heruntergehandelt.

— **to beat it** [sl.]
   ,,abhauen'', ,,verduften'':
What do you want in my room? Beat it!
Was willst du in meinem Zimmer? Hau ab!

— **to keep to** (od. **to follow**) **the beaten track**
   sich in ausgefahrenen Geleisen bewegen, nichts Originelles tun:
He never has a new idea; he always keeps to the beaten track.

Er hat nie eine neue Idee; immer bewegt er sich in ausgefahrenen Geleisen.

BECK
— to be at s.o.'s beck and call
   j-m auf den leisesten Wink gehorchen:
His children are always at his beck and call.
Seine Kinder gehorchen ihm auf den leisesten Wink.

BED
— to get out of bed on the wrong side
   mit dem linken Fuß zuerst aufstehen:
He is in a bad mood today; he must have got out of bed on the wrong side.
Er ist heute schlecht gelaunt; er ist wohl mit dem linken Fuß zuerst aufgestanden.

BEE
— to have a bee in one's bonnet (about s.th.)
   (in bestimmter Hinsicht) einen ,,Vogel'' (od. Spleen) haben, verschroben sein:
He is undoubtedly a brilliant scientist, but he has a bee in his bonnet about keeping fit.
Er ist zweifellos ein hochbegabter Wissenschaftler, aber wenn es um seine Fitness geht, hat er einen ausgesprochenen Vogel.

BEE-LINE
— to make a bee-line for somewhere
   schnurstracks auf etw. losgehen:
After lessons they made a bee-line for the lake to have a swim.
Nach dem Unterricht gingen sie schnurstracks zum See, um zu schwimmen.

BENEFIT
— to give s.o. the benefit of the doubt
   im Zweifelsfall zu j-s Gunsten entscheiden:

I'll give you the benefit of the doubt, but the whole thing looks very suspicious.
Ich werde den vorhandenen Zweifel zu Ihren Gunsten auslegen, aber die ganze Sache sieht sehr verdächtig aus.

BERTH
— **to give s.o. a wide berth**
   einen großen Bogen um j-n machen, j-m aus dem Weg gehen:
I did not like the look of him and gave him a wide berth.
Sein Gesicht gefiel mir nicht, und ich ging ihm aus dem Weg.

BESIDE
— **to be beside the point** (od. **question**)
   nichts mit dem Thema (od. der Frage) zu tun haben:
What you say is quite right, but it is beside the point.
Es ist zwar richtig, was Sie sagen, aber darum handelt es sich hier nicht.

BET
— **you bet!** [colloq.]
   und ob!, aber sicher!:
Did you like the film? — You bet (I did)!
Hat dir der Film gefallen? — Na und ob!

— **to bet one's bottom dollar on s.th.** [sl.]
   seiner Sache ganz sicher sein:
You can bet your bottom dollar, I'm not going to do that.
Ich tu das nicht, da können Sie Gift drauf nehmen.

BETTER
— **to get the better of s.o.**
   die Oberhand über j-n gewinnen, j-n ausstechen:
He tried to get the better of me but failed.
Er wollte mich ausstechen, aber es gelang ihm nicht.

— **I am none the better for it**
   das hilft mir auch nicht:

Don't make so much fuss, he'll be none the better for it.
Mach nicht so ein Theater, das nützt ihm auch nicht.

— for better (f)or worse
in Freud und Leid (Formel bei der Trauung), was auch geschieht:
She promised to stick to him, for better or worse.
Sie versprach, zu ihm zu halten, was auch geschieht.

— to think better of it
sich eines Besseren besinnen, es sich anders überlegen:
*I was going to spend all my money on a new car, but then I
thought better of it.*
Ich war drauf und dran, mein ganzes Geld für ein neues Auto aus-
zugeben, aber dann habe ich es mir anders überlegt.

— to be better off
besser daran sein, bessergestellt sein:
With his new job he is better off than ever before.
Mit seiner neuen Stellung ist er besser daran als je zuvor.

BIG
— to be (to get od. **to grow) too big for one's boots** [colloq.]
größenwahnsinnig sein (werden):
After his first great success he grew too big for his boots.
Nach seinem ersten großen Erfolg schnappte er über.

BIRD
— a bird in the hand (is worth two in the bush)
besser ein Spatz in der Hand als eine Taube auf dem Dach; was
man hat, das hat man:
You should accept his offer. A bird in the hand, you know . . .
Du solltest sein Angebot annehmen. Was man hat, das hat man.
*Don't risk making another bet. Keep what you've won — it's a bird
in the hand.*
Riskier jetzt keine weitere Wette mehr. Behalte deinen Gewinn —
was man hat, das hat man.

to grow too big for one's boots

— **birds of a feather (flock together)**
   gleich und gleich gesellt sich gern:
You know his friends? — Oh yes, they're all birds of a feather.
Du kennst seine Freunde? — O ja, gleich und gleich gesellt sich
gern.

BIT
— **to do one's bit**
   seinen Teil tun, seine Pflicht (und Schuldigkeit) tun:
I think I have done my bit; it's your turn now.
Ich habe das Meine getan; jetzt bist du an der Reihe.

BITE
— **to bite off more than one can chew** [colloq.]
   sich zuviel zumuten, sich zuviel „aufladen":
*He thought he could do it all on his own but after a while he had
to realize that he had bitten off more than he could chew.*

23

Er glaubte, daß er alles allein schaffen könnte, aber nach einiger Zeit mußte er einsehen, daß er sich zuviel zugemutet hatte.

— **to bite one's lips**
  seinen Ärger hinunterschlucken od. verbergen:
He was very angry, but he bit his lips.
Er war sehr zornig, aber er schluckte seinen Ärger hinunter.

BLANKET
— **to be a wet blanket** [colloq.]
  ein Spielverderber sein, ein Miesmacher sein:
They won't invite him to their party. He's always a wet blanket.
Sie laden ihn nicht zu ihrer Party ein. Er ist immer so ein Spielverderber.

The production of cars is running at full blast.

BLAST
— **at full blast** [colloq.]
  auf Hochtouren, mit aller Kraft:

The production of cars is running at full blast.
Die Autoproduktion läuft auf vollen Touren.

BLEST
— I'm blest if I know!
ich weiß (es) wahrhaftig nicht!, der Teufel soll mich holen,
wenn ich es weiß!:
*Haven't you any idea where your keys are? — No, I'm blest if I
know!*
Hast du denn keine Ahnung, wo deine Schlüssel sind? — Nein, ich
weiß es wirklich nicht.

BLIND
— to have a blind spot
etwas einfach nicht (ein)sehen wollen:
*She has a blind spot where her son's shortcomings are con-
cerned.*
Die Fehler ihres Sohnes will sie einfach nicht einsehen.

— to turn a blind eye to s.th.
ein Auge bei etw. zudrücken, etw. absichtlich übersehen:
We turned a blind eye to his carelessness.
Wir drückten ein Auge zu bei seiner Nachlässigkeit.

BLOW
— to blow one's top [sl.]
(vor Wut) an die Decke gehen, in die Luft gehen:
When he dropped his brand-new watch he blew his top.
Als ihm seine nagelneue Uhr hinfiel, ging er in die Luft.

— to blow s.o. up [sl.]
j-n anschnauzen, j-n herunterputzen:
He blew him up for nothing.
Er putzte ihn grundlos herunter.

BLUE
— once in a blue moon
alle Jubeljahre (einmal), höchst selten, ausnahmsweise:

He writes a postcard once in a blue moon.
Alle Jubeljahre schreibt er mal eine Postkarte.

BOAT
— **to be in the same boat**
    in einem Boot sitzen, in derselben (mißlichen) Lage sein:
I can't help you — we're all in the same boat.
Ich kann dir nicht helfen — wir sitzen alle in einem Boot.

BOLD
— **as bold as brass** [colloq.]
    frech wie Oskar, unverschämt:
We thought he would be ashamed, but he was as bold as brass.
Wir glaubten, er würde sich schämen, aber er war frech wie Os-
kar.

BOLT
— **like a bolt from the blue**
    wie ein Blitz aus heiterem Himmel:
*The news of her son's accident came to her like a bolt from the
blue.*
Die Nachricht vom Unfall ihres Sohnes traf sie wie ein Blitz aus hei-
terem Himmel.

— **to make a bolt for it**
    ausreißen, sich aus dem Staub machen, türmen:
When the burglar heard the police-car siren he made a bolt for it.
Als der Einbrecher die Polizeisirene hörte, türmte er.

BONE
— **to make no bones about s.th.** → make.
— **to have a bone to pick with s.o.**
    mit j-m ein Hühnchen zu rupfen haben:
Don't try to slip off. I still have a bone to pick with you.
Versuch nicht, dich heimlich davonzumachen. Ich habe noch ein
Hühnchen mit dir zu rupfen.

— **to feel s.th. in one's bones**

etw. spüren, etw. ahnen, etwas im Gefühl haben:

Your performance will be a great success, I feel it in my bones.
Dein Auftritt wird ein großer Erfolg werden, das habe ich im Gefühl.

BOOK
— **to be in s.o.'s good (bad) books**

bei j-m gut (schlecht) angeschrieben sein:

Fortunately I am in his good books and he will forgive me.
Zum Glück bin ich bei ihm gut angeschrieben, und er wird mir verzeihen.

BORN
— **I (he, she) wasn't born yesterday**

ich bin (er, sie ist) doch nicht von gestern!:

You can't tell him a thing like that. He wasn't born yesterday.
So etwas kannst du ihm nicht erzählen. Er ist doch nicht von gestern!

BOX
— **to box s.o.'s ears**

j-n ohrfeigen:

She was very upset and boxed his ears.
Sie war sehr aufgeregt und gab ihm eine Ohrfeige.

BRASS
— **to get down to brass tacks** [sl.]

zur Sache kommen:

After a long discussion they got down to brass tacks at last.
Nach langer Diskussion kamen sie endlich zum Kern der Sache.

BREAD
— **to take the bread out of s.o.'s mouth**

j-n brotlos machen:

Keen competition and automation are taking the bread out of the small manufacturer's mouth.
Scharfer Konkurrenzkampf und Automatisierung machen heutzutage den Kleinfabrikanten brotlos.

BREAK
— **to break s.o. of s.th.**
j-m etw. abgewöhnen:
We must break him of the habit of being late.
Wir müssen ihm abgewöhnen, immer zu spät zu kommen.

BREAST
— **to make a clean breast of s.th.**
sich etw. vom Herzen reden, etw. offen eingestehen:
I went to him and made a clean breast of it all.
Ich ging zu ihm und redete mir alles von der Seele.

BREATH
— **to save one's breath**
sich seine Worte sparen:
Save your breath. Nobody will believe you.
Spare dir deine Worte. Es glaubt dir doch keiner.

— **to take s.o.'s breath away**
j-m (vor Freude, Überraschung, Erschrecken) den Atem verschlagen:
What he told us of his adventures as big-game hunter took our breath away.
Was er uns von seinen Abenteuern als Großwildjäger erzählte, verschlug uns den Atem.

— **under one's breath**
im Flüsterton, leise:
He muttered something under his breath, but I could not quite understand what he said.
Er murmelte etwas in seinen Bart, aber ich konnte nicht ganz verstehen, was er sagte.

BREATHE

— **to breathe again** (od. **freely**)
(erleichtert) aufatmen:
When the doctor told him she was not hurt he breathed again.
Als der Arzt ihm sagte, daß sie nicht verletzt sei, atmete er erleichtert auf.

BRING

— **to bring s.th. about**
etw. bewerkstelligen, etw. verursachen:
I will try to bring about a change in his opinion.
Ich will versuchen, eine Meinungsänderung bei ihm zu erreichen.

— **to bring s.o. round**
1. j-n wieder zu sich bringen, j-n wieder auf die Beine bringen:
She had fainted, but they brought her round (od. they brought her to) again with cold water.
Sie war ohnmächtig geworden, aber sie brachten sie mit kaltem Wasser wieder zu sich.
2. j-n umstimmen, j-n „herumkriegen":
He opposed my plan, but at last I managed to bring him round.
Er war gegen meinen Plan, aber schließlich habe ich ihn doch herumgekriegt.

— **to bring s.o. to**
→ to bring s.o. round 1.

BROAD

— **as broad as it is long** [colloq.]
gehupft wie gesprungen, Jacke wie Hose:
Whether you eat butter or magarine is as broad as it is long, since they are both more or less equally rich in calories.
Ob Sie Butter oder Margarine essen ist gehupft wie gesprungen, da beide ungefähr gleich kalorienreich sind.

BRUSH

— **to brush s.th. under the carpet**
etw. unter den Teppich kehren, etw. vertuschen:

The scandal he had caused was brushed under the carpet.
Der Skandal, den er verursacht hatte, wurde unter den Teppich gekehrt.

— **to brush up s.th.**
   etw. auffrischen, etw. „aufpolieren'':
Brush up your English.
Frische deine Englischkenntnisse auf!

BUCKLE
— **to buckle down to s.th.**
   mit Eifer an etw. herangehen; sich „ranhalten'', um etw. zu schaffen:
The sooner we buckle down to work, the earlier we can finish tonight.
Je eher wir uns ernsthaft an die Arbeit machen, desto eher können wir heute abend Schluß machen.

BURN
— **to burn the candle at both ends**
   Raubbau mit seiner Gesundheit treiben, sich übernehmen:

He will not be able to return to his family, he has burnt his boats.

Working as much as you do means burning the candle at both ends.
So viel zu arbeiten, wie du es tust, bedeutet Raubbau mit seiner Gesundheit treiben.

— **to burn the midnight oil**
    bis spät in die Nacht aufbleiben und arbeiten:
Peter is in his room burning the midnight oil again.
Peter ist in seinem Zimmer und arbeitet wieder bis spät in die Nacht.

— **to burn one's boats**
    alle Brücken hinter sich abbrechen, sich die Änderung einer Entscheidung unmöglich machen:
He will not be able to return to his family, he has burnt his boats.
Er wird nicht zu seiner Familie zurückkehren können, er hat alle Brücken hinter sich abgebrochen.

BY
— **by and by**
    bald, demnächst, nach und nach:
By and by he will come to see his mistake.
Mit der Zeit wird er seinen Fehler einsehen.

— **by the by(e), by the way**
    übrigens, nebenbei bemerkt:
By the way, did I ever tell you of my visit to London?
Übrigens, habe ich Ihnen eigentlich schon von meinem Besuch in London erzählt?

— **by and large**
    im großen und ganzen, alles in allem:
By and large, times are getting worse.
Die Zeiten werden, alles in allem, schlechter.

C

CALL
— **to call s.o. names**
    j-n beleidigen, j-n beschimpfen:

Did you hear the names he called you?
Haben Sie gehört, wie er Sie schlechtgemacht hat?

— **to call it a day** [colloq.]
  (für heute) Schluß machen:
We have been working for ten hours, let's call it a day.
Wir haben jetzt zehn Stunden lang gearbeitet, machen wir Schluß
für heute.

— **to call s.th. off** [colloq.]
  etw. ,,abblasen'', etw. absagen, etw. rückgängig machen, etw.
  beenden:
The garden party was called off because it looked like rain.
Die Party im Freien wurde abgesagt, weil es nach Regen aussah.

— **to call s.o. to account**
  j-n zur Rechenschaft ziehen:
*The caretaker was called to account because he had left the bank-
door open.*
Der Hausmeister wurde zur Rechenschaft gezogen, weil er die Tür
der Bank offengelassen hatte.

CANDLE
— **to be unable (od. not fit) to hold a candle to s.o.**
  j-m nicht das Wasser reichen können:
*He is not bad at mathematics, but he is not fit to hold a candle to
his brother.*
Er ist nicht schlecht in Mathematik, aber seinem Bruder kann er
nicht das Wasser reichen.

CAP
— **cap in hand**
  demütig, unterwürfig:
Cap in hand, he asked his boss for a day off.
Unterwürfig bat er seinen Chef um einen freien Tag.

CARD
— **to have a card up one's sleeve**
  (noch) einen Trumpf in der Hand haben:

Every time (when) they thought he would have to give up he still had another card up his sleeve.

Immer wenn sie dachten, er müßte aufgeben, hatte er noch einen Trumpf in der Hand.

— **to play one's cards well** (od. **right**)
   geschickt vorgehen, seine Karten geschickt ausspielen:
If you play your cards well, you will be able to sell the car at a good price.

Wenn du geschickt vorgehst, wirst du den Wagen zu einem guten Preis verkaufen können.

If you play your cards well, you will be able to sell the car at a good price.

CARE
— **I couldn't care less** [colloq.]
   es ist mir völlig gleich(gültig), es ist mir vollkommen
   ,,schnuppe'':
He will be disappointed if you don't write to him. — I couldn't care less.

Er wird enttäuscht sein, wenn du ihm nicht schreibst. — Das ist mir völlig gleichgültig.

CARRY

— **to be carried away**
hingerissen sein, sich hinreißen lassen, die Beherrschung verlieren:
I'm sorry, I shouldn't have done that, I was carried away.
Entschuldige, ich hätte das nicht tun sollen, ich habe mich hinreißen lassen.

— **to carry s.th. too far**
etw. zu weit treiben, etw. übertreiben:
Well, he is careless, I know. But he must not carry it too far.
Na gut, ich weiß, er ist unbekümmert. Aber er darf es nicht übertreiben.

— **to carry one's point**
seine Ansicht durchsetzen, sein Ziel erreichen:
He has carried his point and all of them have agreed.
Er hat seine Ansicht durchgesetzt, und alle stimmten zu.

— **to carry weight**
Gewicht haben, viel gelten:
It won't be too difficult for him. He carries weight with the director.
Das wird nicht allzu schwierig für ihn sein. Er hat einigen Einfluß auf den Direktor.

— **to carry on** [colloq.]
1. sich „danebenbenehmen", es wild treiben:
Come and see for yourself how the children are carrying on.
Komm und sieh dir doch selbst an, wie unmöglich sich die Kinder benehmen!
2. ein „Theater" machen, eine Szene machen:
I know, you are upset, but don't carry on like that.
Ich weiß, du bist erregt, aber mach nicht so ein Theater.
3. → to carry on (an affair) with s.o.

— **to carry on (an affair) with s.o.**

,,etwas" mit j-m haben, ein (Liebes)Verhältnis mit j-m haben:
His wife is carrying on with their neighbour.
Seine Frau und ihr Nachbar haben etwas miteinander.

CART

— **to put the cart before the horse**
   das Pferd beim Schwanz aufzäumen, etw. verkehrt anfangen:
You won't succeed if you put the cart before the horse.
Es wird dir nicht gelingen, wenn du das Pferd beim Schwanz aufzäumst.

— **to be in the cart** [Br. sl.]
   in der Klemme sein:
I made a mistake and soon found myself in the cart.
Ich machte einen Fehler, und schon saß ich in der Tinte.

CASH

— **to cash in on s.th.** [colloq.]
   von etw. profitieren, aus etw. Kapital schlagen:
They were not slow to cash in on the shortage of oil.
Sie waren schnell bei der Hand, aus der Ölknappheit Kapital zu schlagen.

CAST

— **to cast about for**
   sich umsehen nach, suchen (nach):
I have been casting about for an idea for my next play.
Ich habe eine Idee für mein neues Theaterstück gesucht.

CAT

— **to see which way the cat jumps, to wait for the cat to jump**
   sehen, wohin der Hase läuft; abwarten, wie sich die Dinge entwickeln:
He hasn't taken a decision yet. He's waiting to see which way the cat jumps.

He hasn't taken a decision yet. He's waiting to see which way the cat jumps.

Er hat sich noch nicht entschieden. Er wartet erst ab, wohin der Hase läuft.

CATCH

— **to catch it** [sl.]

„sein Fett abkriegen", „eins aufs Dach bekommen":
When your mother sees that you've broken the vase, you'll catch it.
Wenn deine Mutter sieht, daß du die Vase zerbrochen hast, geht's dir aber schlecht.

— **to catch on** [colloq.]

1. kapieren, verstehen, begreifen:
I dropped him a broad hint, but he didn't catch on (to the idea).
Ich gab ihm einen Wink mit dem Zaunpfahl, aber er kapierte nicht.

2. „einschlagen", „ankommen", Anklang finden:
The new style in cars seems to have caught on.
Die neuen Automodelle scheinen eingeschlagen zu haben.
— **to catch on to s.th.** [colloq.] → to catch on 1.

— **to catch up with s.o., to catch s.o. up**
  j-n einholen:
You go on now! I'll catch you up later.
Gehen Sie nur voraus! Ich hole Sie dann schon ein.

— **catch me (doing that)!** [Br. colloq.]
  (das) fällt mir nicht im Traum ein!, „denkste!":
And you think I'm going to pay for it? Catch me!
Ich soll das bezahlen? Denkste!

— **to catch sight of s.o. (s.th.)**
  j-n (etw.) plötzlich erblicken:
I caught sight of him directly he entered the hall.
Ich erblickte ihn sofort, als er den Saal betrat.

CHALK
— **by a long chalk**
  bei weitem:
Our new flat is more comfortable than the old one, by a long chalk.
Unsere neue Wohnung ist bei weitem gemütlicher als die alte.

CHARACTER
— **to be out of character**
  nicht passend sein, aus dem Rahmen fallen:
What you are telling me about him is quite out of character.
Was du mir da von ihm erzählst, paßt gar nicht zu ihm.

CHICKEN
— **to count one's chickens before they are hatched**
  das Fell verkaufen, ehe man den Bären hat:
You seem to have made a good start, yes, but don't count your chickens before they are hatched.

Du hast ja wohl einen guten Start gehabt, doch man soll den Tag nicht vor dem Abend loben.

CHIN
— **to keep one's chin up** [colloq.] → **keep.**

CHIP
— **to be a chip of(f) the old block**
   ganz der Vater sein:
Just like his father! A chip of the old block!
Ganz der Vater! Wie aus dem Gesicht geschnitten!

— **to carry** (od. **have, be left with) a chip on one's shoulder**
   „geladen'' (od. reizbar, aggressiv) sein:
The experience of injustice has left him with a chip on his shoulder.
Er hat Ungerechtigkeit erfahren, das hat ihn verbittert.

CHOP
— **to get the chop** [colloq.] → **to get the SACK.**

CLEAR
— **to clear off** (od. **out**) [colloq.]
   „abhauen'', „sich verziehen'', „verduften'':
What are you doing in my room? Clear off!
Was machst du in meinem Zimmer? Hau ab!

— **to clear the decks**
   sich bereitmachen, alles startklar machen:
We ought to clear the decks in case the new manager arrives unexpectedly.
Wir sollten alles startklar machen für den Fall, daß der neue Manager unerwartet auftaucht.

— **to be in the clear**
   aus der Sache heraus sein, vom Verdacht befreit sein:
He insisted on a confrontation with the man who had accused him of theft; as a result, he's in the clear now.
Er bestand auf einer Gegenüberstellung mit dem Mann, der ihn

des Diebstahls beschuldigt hatte; dadurch ist er jetzt aus der Sache heraus.

CLUE
— **not to have a clue (about s.th.)** [colloq.]
  keinen Schimmer (von etw.) haben:
I'm sorry, I can't help you. I haven't a clue about repairing cars.
Tut mir leid, ich kann dir nicht helfen. Ich habe keinen Schimmer, wie man Autos repariert.

COALS
— **to carry coals to Newcastle**
  Eulen nach Athen tragen:
To give her a fur coat is to carry coals to Newcastle.
Ihr einen Pelzmantel zu schenken heißt Eulen nach Athen tragen.

— **to haul s.o. over the coals**
  j-m die Hölle heiß machen:
They hauled him over the coals for his carelessness.
Sie machten ihm die Hölle heiß wegen seiner Nachlässigkeit.

— **to heap coals of fire on s.o.'s head**
  feurige Kohlen auf j-s Haupt sammeln; j-n beschämen, indem man Böses mit Gutem vergilt:
She heaped coals of fire on his head by returning kindness for his unkindness.
Sie sammelte feurige Kohlen auf sein Haupt, indem sie seiner Unfreundlichkeit mit Freundlichkeit begegnete.

COAST
— **the coast is clear**
  die Luft ist rein:
As soon as the coast was clear he left his hiding-place.
Sobald die Luft rein war, verließ er sein Versteck.

COCK
— **to be (the) cock of the walk**
  Hahn im Korb sein, die Hauptperson (in einer Gruppe) sein:
He was used to being always cock of the walk; so he didn't like it in the least when the newcomer claimed everyone's attention.

Er war daran gewöhnt, immer die Hauptperson zu sein; deswegen schätzte er es gar nicht, als der Neue im Mittelpunkt des Interesses stand.

He was used to being always cock of the walk; so he didn't like it in the least when the newcomer claimed everyone's attention.

COLOUR
— **to be** (od. **feel, look) off colour** [colloq.]
unpäßlich sein (sich nicht wohl fühlen, nicht gesund aussehen):
I'm feeling off colour today.
Ich fühle mich heute nicht wohl.

COME
— **to come clean** [sl.]
alles eingestehen, rückhaltlos offen sein:

40

Faced with the overwhelming evidence he no longer refused to come clean.
Angesichts des erdrückenden Beweismaterials weigerte er sich nicht mehr, alles auszusagen.

— **to come down in the world**
   (sozial) herunterkommen, verarmen:
After years of success he has come down in the world.
Nach Jahren des Erfolgs ist es mit ihm bergab gegangen.

— **s.th. comes easy** (od. **natural**) **to s.o.**
   j-m fällt etw. leicht:
Learning languages comes easy to him.
Es fällt ihm leicht, Sprachen zu lernen.

— **where do I (does he,** etc.**) come in?**
   wo bleibe ich?, was wird aus mir?, was springt für mich dabei heraus?:
All of you have got your share, but where do I come in?
Ihr habt alle euern Anteil bekommen, aber wo bleibe ich?

— **to come in handy**
   (sehr) gelegen kommen, wie gerufen kommen, nützlich sein:
Don't throw that empty box away. It might come in handy some time.
Wirf die leere Schachtel nicht weg. Vielleicht können wir sie noch einmal gut gebrauchen.

— **to come off**
   1. stattfinden, „über die Bühne gehen":
When is this party coming off?
Wann findet diese Party statt?
   2. gelingen, erfolgreich sein:
His attempt to deceive me did not come off.
Sein Versuch, mich zu täuschen, mißlang.

— **come off it** [sl.]
   hör schon auf damit!, gib nicht so an!:
Come off it! What do you know about football?
Nun hör bloß auf damit! Was verstehst du schon von Fußball?

— to come round (od. **to**)

(aus einer Ohnmacht) wieder zu sich kommen:

He came to after five minutes but was still very weak.

Er kam nach fünf Minuten wieder zu sich, war aber noch sehr schwach.

— to come to a head

zur Entscheidung kommen, sich zuspitzen:

The unrest in the town came to a head.

Die Unruhe in der Stadt erreichte ihren Höhepunkt.

— to come to blows

tätlich (od. handgemein) werden, sich schlagen:

They began to argue and soon came to blows.

Sie fingen an zu streiten und wurden bald tätlich.

COOK

— to cook up s.th.

etw. zusammenbrauen, sich etw. ausdenken, etw. erdichten:

He cooked up a story so incredible that nobody would believe it.

Er braute eine Geschichte zusammen, die so unglaubwürdig war, daß sie ihm niemand abnahm.

COOL

— to let s.o. cool his heels

j-n lange warten lassen (damit er sich beruhigt), j-n sich „abkühlen'' lassen:

The manager let him cool his heels in the outer office.

Der Direktor ließ ihn lange im Vorzimmer warten.

COST

— to know to one's cost

aus eigener (bitterer) Erfahrung wissen, am eigenen Leib erfahren haben:

He's not a man to be trusted, as I know to my cost.

Er ist nicht der Mann, dem man trauen kann, wie ich aus eigener Erfahrung weiß.

COUGH

— **to cough s.th. up** [sl.]
mit etw. herausrücken:
They knew he had stolen the money, but it took them more than an hour to make him cough it up.
Sie wußten, daß er das Geld gestohlen hatte, aber sie brauchten länger als eine Stunde, ehe er damit herausrückte.

COUNT

— **count me out!** [colloq.]
ohne mich!, da mache ich nicht mit!:
You are going to play a trick on him? Count me out!
Ihr wollt ihn hereinlegen? Ohne mich!

COVENTRY

— **to send s.o. to Coventry**
j-n links liegenlassen, j-n „schneiden", mit j-m nicht mehr verkehren:
They thought the only way to bring him to reason was by sending him to Coventry.
Sie sahen die einzige Möglichkeit, ihn zur Vernunft zu bringen, darin, ihn gar nicht zu beachten.

CRACK

— **to crack a bottle**
einer Flasche den Hals brechen, eine Flasche leeren:
In honour of the day they cracked a bottle of champagne together.
Zur Feier des Tages tranken sie zusammen eine Flasche Sekt.

— **to crack jokes**
Witze reißen:
You won't solve the problem by cracking jokes.
Du wirst das Problem nicht lösen, indem du Witze reißt.

— **to have** (od. **take**) **a crack at s.th.** [sl.]
es (einmal) mit etw. versuchen, sich an etw. (Schwieriges) heranmachen:

He wants to have a crack at founding a firm of his own.
Er will es mal mit der Gründung einer eigenen Firma versuchen.

— **to get cracking** [sl.]
   loslegen, Tempo vorlegen:
Stop arguing the point. Get cracking.
Hör auf mit dem Gerede — leg endlich los!

CRAMP
— **to cramp s.o.'s style** [colloq.]
   j-n sich nicht recht entfalten lassen:
There are too many rules cramping my style.
Es gibt so viele Richtlinien, dabei kann ich mich nicht recht entfalten.

CREEPS
— **to give s.o. the creeps** [colloq.]
   j-n schaudern lassen, j-m eine Gänsehaut verursachen:
His report of the accident gave me the creeps.
Als er über den Unfall berichtete, überlief es mich eiskalt.

CROSS
— **to cross s.o.'s path**
   j-m über den Weg laufen, j-m begegnen:
I hadn't seen him for years when he suddenly crossed my path.
Jahrelang hatte ich ihn nicht gesehen, da lief er mir plötzlich über den Weg.

— **to cross s.o.'s mind**
   j-m einfallen, j-m in den Sinn kommen:
It never crossed his mind that he ought to support his old parents.
Es ist ihm niemals in den Sinn gekommen, seine alten Eltern zu unterstützen.

CRUSH
— **to have a crush on s.o.** [sl.]
   in j-n „verknallt" sein, in j-n verliebt sein:

Everybody can see that he has a crush on her.
Das sieht doch jeder, daß er in sie verknallt ist.

CRY
— **it's no use crying over spilt milk**
  geschehen ist geschehen:

It's no use crying over spilt milk.

Well, it's no use crying over spilt milk. We'll have to think of what's to be done now.
Na schön, was geschehen ist, ist geschehen. Wir werden überlegen müssen, was jetzt zu tun ist.

CUFF
— **off the cuff** [colloq.]
  aus dem Handgelenk, aus dem Stegreif:
He answered all their questions off the cuff.
Er schüttelte die Antworten auf alle ihre Fragen aus dem Ärmel.

CUP
— **to be s.o.'s cup of tea** [colloq.]
   ganz nach j-s Geschmack sein, ganz j-s Fall sein:
*I like to go to the theatre, but that play we saw yesterday wasn't
my cup of tea.*
Ich gehe gern ins Theater, aber das Stück, das wir gestern gesehen haben, war nicht mein Fall.

CURRY
— **to curry favour with s.o.**
   sich bei j-m einschmeicheln (wollen), sich bei j-m lieb Kind
   machen (wollen):
He always has known how to curry favour with everybody.
Er hat es schon immer verstanden, sich bei allen lieb Kind zu
machen.

CUT
— **to cut a long story short**
   um es kurz zu machen, kurz und gut:
To cut a long story short — he won and I lost.
Kurz und gut — er hat gewonnen, und ich habe verloren.

— **to cut one's coat according to one's cloth**
   sich nach der Decke strecken:
I can't afford a new car every two years. I have to cut my coat according to my cloth.
Ich kann mir nicht alle zwei Jahre einen neuen Wagen leisten, ich
muß mich nach der Decke strecken.

— **to cut no** (od. **not much**) **ice with s.o.**
   bei j-m keinen (od. nicht viel) Eindruck machen, bei j-m nicht
   „ziehen":
I'm afraid your arguments will cut no ice with him.
Ich fürchte, deine Argumente werden keinen Eindruck auf ihn
machen.

— **to be cut out for s.th.**
   wie geschaffen sein für etw., für etw. bestens geeignet sein:

He's thoroughly cut out for the job because of his great expe-rience in this field.
Er ist wegen seiner großen Erfahrung auf dem Gebiet wie ge-schaffen für die Aufgabe.

— **to cut both ways**
   für beide Seiten gleichermaßen gelten, ein zweischneidiges Schwert sein:
You are quite right, but your argument cuts both ways. If you want to be helped you will have to help others too.
Du hast zwar recht, aber was du sagst, gilt für beide Seiten: Wenn du willst, daß man dir hilft, mußt du auch anderen helfen.

— **to cut one's teeth on s.th.**
   Erfahrungen bei etw. sammeln, bei etw. dazulernen:
Developing new methods of production was something to cut his teeth on.
Die Entwicklung neuer Produktionsmethoden war etwas, wobei er Erfahrungen sammeln konnte.

— **to cut s.o. to the heart** (od. **the quick)**
   j-m in der Seele weh tun, j-m ins Herz schneiden, j-n zutiefst verletzen:
His harsh words cut her to the heart.
Seine schroffen Worte verletzten sie in tiefster Seele.

— **to cut s.o. (dead)**
   j-n „schneiden", j-n nicht grüßen, j-n völlig übersehen:
He cut me dead in the street.
Er sah auf der Straße an mir vorbei.

— **to cut down on s.th.**
   etw. einschränken:
He has cut down on smoking.
Er hat das Rauchen eingeschränkt.

— **cut and dried**
   vorgefertigt, schablonenhaft:
He had some cut and dried opinions, but nothing original to say.
Er äußerte ein paar schablonenhafte Ansichten, aber nichts Eige-nes.

— **to cut it (rather) fine**

es gerade noch schaffen, nur noch wenig Zeit haben:

You've got five minutes to catch the bus. You're cutting it rather fine.

Du hast noch fünf Minuten, um den Bus zu kriegen. Du bist knapp dran.

D

DAGGER

— **to be at daggers drawn with s.o.**

nahe daran sein, sich mit j-m zu prügeln:

When the police arrived at the scene of the accident, the two drivers were obviously at daggers drawn.

Als die Polizei am Unfallort ankam, waren die beiden Autofahrer offensichtlich nahe daran, sich zu prügeln.

— **to look daggers at s.o.**

j-n mit Blicken durchbohren, j-n haßerfüllt ansehen:

He looked daggers at his rival.

He looked daggers at his rival.
Er sah seinen Rivalen haßerfüllt an.

DAMN
— **not to give a damn (about s.th.)**
  sich den Teufel um etwas scheren:
He can do what he likes, I don't give a damn (about it).
Er kann tun, was er will; mir ist es ganz schnuppe.

DARE
— **I dare say**
  ich darf wohl sagen, ich glaube wohl, wahrscheinlich:
I dare say he is right.
Wahrscheinlich hat er recht.

DASH
— **to make a dash for s.th.** (od. **somewhere**)
  losstürmen auf, sich stürzen auf:
Suddenly he made a dash for the door and tried to escape.
Plötzlich stürmte er auf die Tür zu und versuchte zu entkommen.

DAY
— **this day week (fortnight)**
  heute in einer Woche (in 14 Tagen):
We'll see you this day fortnight.
Wir sehen dich also heute in 14 Tagen.

— **to the day**
  auf den Tag genau:
We were in London two years ago to the day.
Auf den Tag genau vor zwei Jahren waren wir in London.

— **to carry** (od. **win**) **the day**
  den Sieg davontragen:
Your greater experience will carry the day.
Eure größere Erfahrung wird den Sieg davontragen.

— to this day
   bis auf den heutigen Tag:
To this day they have always left things as they are.
Sie haben bis auf den heutigen Tag immer alles beim alten gelassen.

— to have had one's day
   seine beste Zeit hinter sich haben:
I think he's had his day and should retire from public life.
Ich glaube, seine beste Zeit ist vorüber und er sollte sich aus der Öffentlichkeit zurückziehen.

— those were the days!
   das waren noch Zeiten!:
We used to spend our summer holidays at the seaside. Those were the days!
Früher haben wir unsere Sommerferien immer an der See verbracht. Das waren noch Zeiten!

DEAD

— at dead of night
   mitten in der (Stille der) Nacht:
At dead of night I was startled by a cry.
Mitten in der Nacht wurde ich von einem Schrei aufgeschreckt.

— to be dead beat
   völlig erschöpft sein, wie ,,erschlagen'' sein:
After a hard day's work he was dead beat.
Nach einem schweren Arbeitstag war er völlig erschöpft.

— to be at (od. come to, reach) a dead end (od. deadlock)
   in eine Sackgasse geraten, an einen toten Punkt kommen:
When negotiations came to a dead end, the matter was taken to court.
Als die Verhandlungen auf dem toten Punkt angekommen waren, wurde die Angelegenheit vor Gericht gebracht.

DEGREE

— by degrees
   stufenweise, allmählich:

By degrees he recovered from the shock.
Allmählich erholte er sich von dem Schock.

— **to a degree** [colloq.]
  in hohem Maße, sehr, einigermaßen:
He is impolite to a degree.
Er ist einigermaßen unhöflich.

DEPTH
— **to be out of one's depth**
  ratlos sein, unsicher sein, „schwimmen":
She tried to translate the book but was soon out of her depth.
Sie versuchte, das Buch zu übersetzen, kam jedoch bald ins
Schwimmen.

DEVIL
— **between the devil and the deep blue sea**
  zwischen zwei Feuern, in einer Zwickmühle:
*Faced with the alternative of either mowing the lawn or washing
the dishes he felt between the devil and the deep blue sea.*
Vor die Wahl gestellt, ob er lieber den Rasen mähen oder abwa-
schen wollte, fühlte er sich in einer Zwickmühle.

— **talk** (od. **speak**) **of the devil (and he's sure to appear)**
  wenn man den Teufel nennt (, kommt er gerennt):
There he is! Speak of the devil!
Da ist er schon! Wenn man den Teufel nennt!

— **to give the devil his due**
  alles was recht ist:
*I know you don't think much of Peter, but to give the devil his due,
he has always helped his friends.*
Ich weiß, daß du nicht viel von Peter hältst, aber das muß man ihm
lassen, er hat seinen Freunden immer geholfen.

DIE
— **to die away**
  sich verlieren, schwächer werden, verklingen, verlöschen:

Speak of the devil (and he's sure to appear)!

His voice died away in the roar of the waves.
Seine Stimme verlor sich in den tosenden Wellen.

— **to be dying for** (od. **to do**) **s.th.**
   sich nach etw. sehnen, auf etw. brennen:
He was dying for a drink.
Er kam um vor Durst.
He is dying to know where you've been.
Er möchte für sein Leben gern wissen, wo du gewesen bist.

— **never say die!**
   nur nicht nachgeben:
You're bound to find a way out of the difficulty. Never say die!
Du mußt einfach einen Weg finden, um aus den Schwierigkeiten
herauszukommen. Nur nicht nachgeben!

— **the die is cast**
  die Würfel sind gefallen:
  The die is cast. We can set to work.
  Die Würfel sind gefallen. Wir können mit der Arbeit beginnen.

DIP
— **to dip into a book**
  ein Buch flüchtig durchblättern, einen Blick in ein Buch werfen:
  He was not really interested in the subject, so he only dipped into the book.
  Das Thema interessierte ihn nicht wirklich, und so blätterte er das Buch nur flüchtig durch.

DIRT
— **to fling** (od. **throw**) **dirt at s.o.**
  j-n mit Dreck bewerfen, j-n in den Schmutz ziehen:
  His political opponents flung dirt at him.
  Seine politischen Gegener zogen ihn in den Schmutz.

DIRTY
— **to play a dirty trick on s.o.**
  j-m gegenüber eine Gemeinheit begehen:
  She'd never have thought that her friend would play such a dirty trick on her.
  Sie hätte nie gedacht, daß ihre Freundin so gemein ihr gegenüber handeln würde.

DO
— **to make s.th. do, to make do with s.th.**
  mit etw. auskommen, sich mit etw. begnügen (od. behelfen):
  Unfortunately there's no butter left, so we'll have to make do with margarine.
  Leider ist keine Butter mehr da, wir werden uns also mit Margarine behelfen müssen.

— **to be done for** [colloq.]
  „erledigt" sein, ruiniert sein, am Ende sein:

He's so weak, I'm afraid he's done for.
Er ist so schwach; ich fürchte, er ist am Ende.

— to do s.o. down [colloq.]
j-n „reinlegen", j-n „übers Ohr hauen", j-n „anschmieren":
Fortunately I realized that he wanted to do me down.
Zum Glück merkte ich, daß er mich übers Ohr hauen wollte.

— I (you, etc.**) could do with s.th.**
ich (du usw.) könnte etw. gut gebrauchen, etw. würde mir (dir usw.) guttun:
I could do with a cup of tea now.
Jetzt könnte ich gut eine Tasse Tee vertragen.

— to have (od. **be) done with s.th. (s.o.)** [colloq.]
mit etw. (j-m) fertig sein, mit etw. (j-m) nichts mehr zu tun haben wollen:
I don't want to see him again, I've done with him.
Ich will ihn nicht wiedersehen, ich bin fertig mit ihm.

DOG

— to go to the dogs
vor die Hunde gehen, zugrunde gehen:
If he doesn't pull himself together he'll go to the dogs.
Wenn er sich nicht zusammenreißt, geht er vor die Hunde.

— to lead s.o. a dog's life
j-m das Leben zur Hölle machen:
No wonder she's unhappy; her husband has been leading her a dog's life ever since their marriage.
Kein Wunder, daß sie unglücklich ist; seit ihrer Heirat hat ihr Mann ihr das Leben zur Hölle gemacht.

— let sleeping dogs lie
schlafende Hunde soll man nicht wecken, laß die Finger davon!, rühr nicht alte Geschichten auf!:
I wouldn't tell him about it. Let sleeping dogs lie.
Ich würde ihm gar nichts davon sagen. Schlafende Hunde soll man nicht wecken.

*No wonder she's unhappy; her husband has been leading her
a dog's life ever since their marriage.*

DOT

— **on the dot** [colloq.]
    auf die Sekunde genau:
In spite of the fog the plane landed on the dot.
Trotz des Nebels landete die Maschine pünktlich auf die Sekunde.

DOWN

— **to be down and out** [colloq.]
    völlig „erledigt" sein, „restlos fertig" sein, „auf den Hund"
    gekommen sein:
He went bankrupt and now he is down and out.
Er hat Bankrott gemacht und ist jetzt völlig erledigt.

— **to be down in the mouth** [colloq.]
    niedergeschlagen sein, den Kopf hängen lassen:
Don't be so down in the mouth. All is not yet lost!
Laß doch nicht so den Kopf hängen. Es ist noch nicht alles verlo-
ren!

— **to be down on one's luck** [colloq.]

in übler Lage sein, vom Pech verfolgt sein:

He once was a famous actor, but lately he's been rather down on his luck.

Er war früher ein berühmter Schauspieler, aber seit einiger Zeit ist er vom Pech verfolgt.

— **to be down at heel** (od. **at the heels**)

heruntergekommen sein, abgerissen sein, schäbig aussehen:

He was very down at heel and looked as though he hadn't a penny to his name.

Er war sehr heruntergekommen und schien finanziell völlig am Ende zu sein.

— **down-to-earth**

wirklichkeitsnah, realistisch, mit beiden Beinen auf der Erde (stehend):

He'll be just right for the job, he's a down-to-earth man.

Er ist genau richtig für die Stellung, er steht mit beiden Beinen auf der Erde.

DRAW

— **to draw the line at s.th.**

etw. nicht über einen Punkt hinausgehen lassen, bei etw. nicht mehr mitmachen:

The thief didn't mind burglary or picking pockets occasionally, but he drew the line at armed robbery.

Gegen einen Einbruch oder einen gelegentlichen Taschendiebstahl hatte der Dieb nichts einzuwenden, aber bei bewaffnetem Raub machte er nicht mit.

DRESSING-DOWN

— **to give s.o. a dressing-down** [colloq.]

j-m eine Standpauke halten, j-m einen Rüffel erteilen:

His parents gave him a dressing-down for coming home late at night.

Seine Eltern hielten ihm eine Standpauke, weil er so spät nach Hause gekommen war.

DRIVE
— **to be driving at s.th.**
auf etw. anspielen, auf etw. hinauswollen:
I didn't know what he was driving at.
Ich wußte nicht, worauf er eigentlich hinauswollte.

— **to drive s.th. home (to s.o.)**
(j-m) etw. klarmachen:
He pretended not to understand, but finally we drove home to him what we wanted.
Er tat so, als ob er uns nicht verstand, aber schließlich konnten wir ihm klarmachen, was wir wollten.

DROP
— **to drop in on s.o.**
(kurz) bei j-m hereinschauen, bei j-m „hereinschneien":
Whenever he comes to London he drops in on us.
Sooft er nach London kommt, schaut er kurz bei uns vorbei.

— **to drop s.o. a line**
j-m ein paar Zeilen schreiben:
Drop me a line to let me know that you have arrived safely.
Schreib mir ein paar Zeilen, damit ich weiß, daß du gut angekommen bist.

DUMPS
— **to be (down) in the dumps** [colloq.]
miese Laune haben, niedergeschlagen sein, griesgrämig sein:
You're looking very down in the dumps. What's the matter with you?
Du siehst ja so griesgrämig aus. Was ist los mit dir?

DUTCH
— **to go Dutch with s.o.** [colloq.]
getrennte Kasse machen, sich die Kosten teilen:
I don't want him to pay for me, I'll go Dutch with him.
Ich möchte nicht, daß er für mich bezahlt; wir machen getrennte Kasse.

— **a Dutch treat**
gemeinsames Vergnügen (Essen, Theaterbesuch usw.) mit getrennter Kasse:

He had not invited me to the opera, it was a Dutch treat.
Er hatte mich nicht in die Oper eingeladen, jeder hat für sich bezahlt.

E

EAGER
— **eager beaver** [colloq.]
Streber, Übereifriger:

Though he is certainly an eager beaver he is not too successful.
Er ist zwar ein eifriger Streber, hat aber nicht allzuviel Erfolg.

EARLY
— **the early bird gets (od. catches) the worm**
wer zuerst kommt, mahlt zuerst; Morgenstunde hat Gold im Munde:

The early bird catches the worm.

The box-office doesn't open until ten o'clock, but there's usually
a queue, so I'll try to be there at half past nine. The early bird
catches the worm.
Die Theaterkasse öffnet erst um zehn Uhr, aber dann stehen die
Leute meistens Schlange; ich werde also versuchen, um halb
zehn dort zu sein. Wer zuerst kommt, mahlt zuerst.

EARTH
— **to come back (**od. **down) to earth**
   wieder nüchtern werden, auf den Boden der Wirklichkeit zurückkehren:
This day-dreaming is leading you astray. You'll have to come back
to earth.
Deine Träumereien führen dich in die Irre. Du mußt auf den Boden
der Wirklichkeit zurückkehren.

EASY
— **take it (**od. **things) easy!**
   immer mit der Ruhe!, nur keine Aufregung!:
We'll find your lost key for you. Just take it easy!
Wir werden den Schlüssel, den du verloren hast, schon finden.
Nur keine Aufregung!

— **to be on easy street**
   in guten Verhältnissen leben, wohlhabend sein:
He has made a fortune and is on easy street now.
Er hat ein Vermögen gemacht und ist jetzt wohlhabend.

EAT
— **to eat one's heart out**
   sich vor Gram verzehren:
She has been eating her heart out since she lost her child in an
accident.
Seit sie ihr Kind bei einem Unfall verloren hat, verzehrt sie sich vor
Gram.

— **to eat one's words**
   seine Worte (kleinlaut) zurücknehmen, Gesagtes widerrufen:

When confronted with an eye-witness he had to eat his words.
Als er einem Augenzeugen gegenübergestellt wurde, mußte er
zurücknehmen, was er gesagt hatte.

— **to eat one's hat** [colloq.]
   einen Besen fressen:
I'll eat my hat if that doesn't turn out badly.
Wenn das nicht schiefgeht, fresse ich einen Besen.

EDGE

— **to be** (od. **feel**) **on edge**
   ungeduldig (od. nervös, gereizt) sein:
We were all on edge to know his answer.
Wir waren ganz ungeduldig, seine Antwort zu erfahren.

— **to take the edge off s.th.**
   einer Sache die Spitze (od. Schärfe, Wirkung) nehmen:
*His reasonable arguments took the edge off the opposing
speaker's sharp attack.*
Seine vernünftigen Argumente brachten seinen Gegner um die
Wirkung seiner Worte.

— **to set s.o.'s teeth on edge**
   j-n kribbelig machen, j-m durch Mark und Bein gehen:
The cry of the man who was run over set my teeth on edge.
Der Schrei des Mannes, der überfahren wurde, ging mir durch
Mark und Bein.

ELEVENTH

— **at the eleventh hour**
   in letzter Stunde, fünf Minuten vor zwölf:
The patient was taken to hospital at the eleventh hour.
Der Patient wurde im letzten Augenblick ins Krankenhaus gebracht.

END

— **no end of**
   unendlich (od. überaus) viel, unzählige:

There was no end of talk, but no decision was made.
Es gab ein endloses Gerede, aber es wurde kein Beschluß gefaßt.
We had no end of fun.
Wir hatten einen Mordsspaß.

EQUAL
— **to be (feel) equal to s.th.**
   einer Sache gewachsen sein (sich einer Sache gewachsen
   fühlen):
He is a good worker and should be equal to doing this job.
Er arbeitet gut und wird voraussichtlich dieser Aufgabe gewachsen sein.

EVEN
— **to be even with s.o.**
   mit j-m quitt sein:
I think I'm even with him now.
Ich glaube, ich bin jetzt quitt mit ihm.

— **to get even with s.o.**
   mit j-m quitt werden, mit j-m abrechnen:
I'll get even with him no matter how long it takes me!
Ich werde mit ihm abrechnen, ganz egal, wie lange das dauern
mag!

EVERY
— **every now and then, every so often** [colloq.]
   gelegentlich, hin und wieder:
She calls on me every now and then.
Sie besucht mich hin und wieder.

EYE
— **with an eye to (doing) s.th.**
   mit der Absicht, etwas (Bestimmtes) zu tun:
*I bought the shares with an eye to selling them at a profit as soon
as possible.*

Ich kaufte die Aktien mit der Absicht, sie so schnell wie möglich mit Gewinn zu verkaufen.

— to keep an eye on s.o. (s.th.)
ein (wachsames) Auge auf j-n (etw.) haben:
She asked her neighbour to keep an eye on the children.
Sie bat ihre Nachbarin, ein Auge auf die Kinder zu haben.

F

FACE

— to face the music [colloq.]
die Suppe (,die man sich eingebrockt hat,) auslöffeln; dafür geradestehen:
You've done wrong, you'll have to face the music.
Du hast etwas Unrechtes getan, dafür mußt du geradestehen.

— to face up to s.o. (s.th.)
j-m (einer Sache) mutig ins Auge sehen (od. die Stirn bieten):
We'll have to face up to every form of terrorism.
Wir werden jeder Form des Terrorismus entschlossen entgegentreten müssen.

— to have the face to do s.th.
die Stirn haben (od. so unverfroren sein), etw. zu tun:
I'm surprised that he has the face to deny everything.
Ich bin erstaunt, daß er so unverfroren ist, alles abzuleugnen.

— to fly in the face of s.th.
sich einer Sache (offen) widersetzen, einer Sache trotzen, sich über etw. hinwegsetzen:
Writing this article was flying in the face of public opinion.
Diesen Artikel zu schreiben bedeutete, sich der öffentlichen Meinung entgegenzustellen.

— on the face of it
auf den ersten Blick, äußerlich betrachtet:
On the face of it, you are right.
Auf den ersten Blick hast du recht.

to fly in the face of s.th.

— **to put a good** (od. **bold**) **face on** (s.th.)
   sich etw. nicht anmerken lassen, einer Sache gelassen entgegensehen:
He has not been too successful up till now, but he is putting on a good face (od. putting a good face on his efforts).
Er hat bisher nicht viel Erfolg gehabt, aber er läßt es sich nicht anmerken.

— **to put a new** (od. **fresh**) **face on s.th.**
   etw. in neuem (od. anderem) Licht erscheinen lassen:
What you told me yesterday has put a new face on his behaviour.
Was du mir gestern erzählt hast, läßt sein Verhalten in anderem Licht erscheinen.

— **to take s.o.** (s.th.) **at his** (its) **face value**
   j-n nach dem Äußeren beurteilen (etw. für bare Münze nehmen):
I was wrong to take his words at their face value.
Es war falsch von mir, seine Worte für bare Münze zu nehmen.

FAIR

— **fair to middling** [colloq.]

mittelmäßig, so leidlich, so lala:

How are you today? — Fair to middling.

Wie geht's denn so? — So leidlich.

FALL

— **to fall flat**

„danebengehen", mißglücken, keinen Eindruck machen:

His speech fell flat and was only weakly applauded.

Seine Rede machte keinen Eindruck und fand nur wenig Beifall.

— **to fall back on s.th.**

auf etw. zurückgreifen, an etw. einen Rückhalt haben:

In an emergency he always can fall back on his savings.

Im Notfall kann er immer noch auf seine Ersparnisse zurückgreifen.

— **to fall behind s.o. (s.th.)**

hinter j-m (etw.) zurückbleiben, j-m (etw.) gegenüber ins Hintertreffen geraten:

He fell behind his competitors and never recovered his position in the trade.

Er geriet seinen Konkurrenten gegenüber ins Hintertreffen und erreichte nie wieder seine Stellung in der Branche.

— **to fall for s.o. (s.th.)**

sich in j-n „verknallen", sich in j-n (etw.) verlieben, auf j-n (etw.) hereinfallen:

He falls for every pretty girl he meets.

Er verknallt sich in jedes hübsche Mädchen, das ihm begegnet.

He has fallen for the agent's suggestions.

Er ist auf die Vorschläge des Maklers hereingefallen.

— **to fall in with s.o.**

(zufällig) j-s Bekanntschaft machen (und sich ihm anschließen):

He fell in with some drug addicts.

Er geriet in die Kreise von Rauschgiftsüchtigen.

64

— to fall into line with s.o.
j-m zustimmen (od. beipflichten):
He fell into line with his fellow-workers.
Er stimmte seinen Kollegen zu.

— to fall out (with)
sich entzweien (mit), in Streit geraten (mit):
When talking about money they fell out.
Als sie über Geld sprachen, gerieten sie in Streit.

— to fall short of s.th.
(den Erwartungen usw.) nicht entsprechen:
His work fell short of the manager's expectations.
Seine Arbeit entsprach nicht den Erwartungen des Geschäftsführers.

FALSE

— to play s.o. false
mit j-m ein falsches Spiel treiben:
They tried to play their partners false.
Sie versuchten, mit ihren Partnern ein falsches Spiel zu treiben.

— to sail under false colours
unter falscher Flagge segeln, heuchlerisch etwas vortäuschen:
He liked to appear religious but he was sailing under false colours.
Er gab sich den Anschein, religiös zu sein, aber das war nur geheuchelt.

FAR

— to be a far cry from s.th.
(himmel)weit von etw. entfernt sein, etwas ganz anderes sein als etw.:
It is a far cry from reading English books to talking to English-speaking people.
Englische Bücher zu lesen ist ganz etwas anderes, als sich mit englischsprechenden Leuten zu unterhalten.

— as far as that goes
was das (an)betrifft:

It is a far cry from reading English books to talking to English-speaking people.

You needn't worry about arranging the insurance. As far as that goes you can leave everything to me.
Du brauchst dir keine Sorgen um die Versicherung zu machen. Was das betrifft, werde ich mich darum kümmern.

FASHION
— **after a fashion**
   schlecht und recht, so lala:
He did his work after a fashion, but had no real interest in it.
Er tat seine Arbeit schlecht und recht, hatte aber kein wirkliches Interesse daran.

FAT
— **a fat lot of** [sl., iro.]
   herzlich wenig:

A fat lot of good it will do us if they lower the tax on luxury goods.
Es nützt uns herzlich wenig, wenn sie die Steuern für Luxusgüter senken.

— to live on (od. off) the fat of the land
  in Saus und Braus leben:
Ever since he inherited that fortune they have been living on the fat of the land.
Seit er die große Erbschaft gemacht hat, leben sie in Saus und Braus.

— the fat is in the fire
  der Teufel ist los:
When he got your letter the fat was in the fire.
Als er deinen Brief bekam, war der Teufel los.

FAULT

— to be at fault
  sich falsch verhalten, einen Fehler machen:
You are at fault in keeping the truth from him.
Es ist ein Fehler von dir, ihm nicht die Wahrheit zu sagen.

— to a fault
  übertrieben, allzu:
He is polite to a fault.
Er ist übertrieben höflich.

FEATHER

— to feather one's nest
  sein Schäfchen ins trockene bringen, sich bereichern:
He feathered his nest comfortably at the expense of the public.
Er brachte sein Schäfchen auf Kosten der Allgemeinheit ins trokkene.

— a feather in one's cap
  eine Ehre; eine Auszeichnung; etw., worauf man stolz sein kann:
It's a feather in his cap that his painting was given the highest award.

Er kann stolz darauf sein, daß sein Gemälde mit dem ersten Preis ausgezeichnet wurde.

FED
— **to be fed up with s.th. [s.o.]**
  etw. satt haben, von etw. „die Nase voll" haben:
He was fed up with his wife's cooking and went to a good restaurant.
Er hatte die Nase voll von den Kochkünsten seiner Frau und ging in ein gutes Restaurant.

FEEL
— **to feel up to s.th.**
  einer Sache gewachsen sein, sich zu etw. aufschwingen können:
I don't feel up to going shopping, the weather's too hot.
Ich kann mich nicht zum Einkaufen aufschwingen, es ist so heiß.
I don't feel up to much this morning.
Ich fühle mich heute morgen gar nicht wohl.

— **to feel s.th. out**
  „seine Fühler ausstrecken":
I'll try to feel out whether they've made any progress with the project.
Ich werde mal meine Fühler ausstrecken, ob sie mit dem Projekt schon Fortschritte gemacht haben.

FEET
— **to carry** (od. **sweep**) **s.o. off his feet**
  j-n begeistern, j-n mit fortreißen:
His enthusiasm carried us off our feet.
Seine Begeisterung riß uns mit.

FEW
— **few and far between**
  sehr vereinzelt, dünn gesät:
True friends are few and far between.
Wahre Freunde sind dünn gesät.

FIGURE

— **to cut a fine (poor** od. **sorry) figure**
  eine gute (erbärmliche od. traurige) Figur machen (od. abgeben):
I think he cut a poor figure in this matter.
Ich finde, er hat in dieser Sache eine erbärmliche Rolle gespielt.

FILL

— **to have one's fill of s.th.** [colloq.]
  von etw. genug haben:
You shouldn't bother him with your problem. He has his fill of trouble.
Du solltest ihn nicht mit deinen Problemen belästigen. Er hat gerade genug Ärger.

FINGER

— **to have a finger in the pie**
  die Hand im Spiel haben:
I'm sure this meeting is a put-up job and I wouldn't be a bit surprised if your sister had a finger in the pie.
Ich bin davon überzeugt, daß dieses Treffen eine abgekartete Sache ist, und es würde mich nicht wundern, wenn deine Schwester ihre Hand im Spiel hat.

— **to put** (od. **lay) one's finger on it**
  den Finger auf die Wunde legen:
He put his finger on it when he pointed out how many careless mistakes had been made.
Er legte den Finger auf die Wunde, als er darauf hinwies, wie viele vermeidbare Fehler gemacht worden waren.

FINGERTIPS

— **to have s.th. at one's fingertips**
  etw. aus dem Effeff beherrschen, völlig vertraut sein mit etw., etw. parat haben:
He is a clever salesman who has all the tricks of the trade at his fingertips.

Er ist ein gewiefter Verkäufer und mit allen Kniffen bestens vertraut.

FIT
— **to give s.o. a fit** [colloq.]
j-n furchtbar erschrecken, j-n „ganz aus dem Häuschen bringen":
His impertinent remarks gave her a fit.
Seine unverschämten Bemerkungen brachten sie ganz aus dem Häuschen.

— **in (od. by) fits and starts**
ruckweise; dann und wann, unregelmäßig:
He does not work methodically, but only by fits and starts.
Er arbeitet nicht planmäßig, sondern nur ganz unregelmäßig.

— **to be as fit as a fiddle**
gesund und munter sein, quietschvergnügt sein:
He was in poor health when I last saw him, but now he is as fit as a fiddle.
Als ich ihn zuletzt sah, ging es ihm gesundheitlich nicht besonders, aber jetzt ist er gesund und munter.

FLASH
— **a flash in the pan**
ein Strohfeuer, ein kurzer Einzelerfolg:
His love for Jenny soon turned out to be a flash in the pan.
Seine Liebe zu Jenny erwies sich bald als Strohfeuer.
The success of his first film was a mere flash in the pan.
Sein erster erfolgreicher Film war nur ein Einzelerfolg.

FLOOR
— **to take the floor**
das Wort ergreifen:
When the Prime Minister took the floor everybody was listening closely.
Als der Ministerpräsident das Wort ergriff, hörten alle aufmerksam zu.

a flash in the pan

FLY

— to fly at s.o.

über j-n herfallen, auf j-n losgehen:

It hadn't been Jim's fault, but all of them flew at him.

Jim hatte zwar keine Schuld, aber alle fielen über ihn her.

— to fly high

hoch hinauswollen, ehrgeizige Pläne haben, sich gute Hoffnungen machen:

He's flying high, submitting pictures for the Academy Exhibition.

He sees himself as a famous painter in a few years' time.

Er scheint hoch hinauszuwollen, denn er hat seine Bilder zur Ausstellung der Kunstakademie geschickt. Er sieht sich wohl in ein paar Jahren schon als berühmter Maler.

— to fly off the handle [colloq.]

stinkwütend werden, in die Luft gehen:

Seeing him hanging around all the time is enough to make me fly off the handle.

Wenn ich nur sehe, wie er dauernd herumlungert, werde ich schon stinkwütend.

— **to fly into a rage** (od. **passion** od. **temper**)
in Zorn geraten, hitzig werden:
He flew into a passion after hearing that his plans had miscarried.
Er wurde zornig, als er hörte, daß seine Pläne fehlgeschlagen waren.

— **a fly in the ointment**
ein Haar in der Suppe:
The picture is very beautiful, but there's a fly in the ointment: the price is too high.
Es ist ein schönes Bild, aber da ist ein Haar in der Suppe: Der Preis ist zu hoch.

— **(there are) no flies on him (her)** [sl.]
er (sie) ist nicht dumm, ihm (ihr) kann man nichts vormachen:
Just you try to hoax him, there are no flies on him!
Versuch nur, ihn reinzulegen; dem kannst du nichts vormachen.

FOLLOW

— **to follow suit**
,,nachziehen'', dem Beispiel folgen:
When one shop reduces its prices, the others will have to follow suit.
Wenn ein Geschäft die Preise herabsetzt, werden die anderen nachziehen müssen.

FOOL

— **no fool like an old fool**
Alter schützt vor Torheit nicht:
He married again at the age of 75. No fool like an old fool.
Mit 75 Jahren heiratete er noch einmal. Alter schützt vor Torheit nicht.

— **to live in a fool's paradise**
sich Illusionen machen:

If he thinks he's going to sell his house easily, he's living in a fool's paradise.
Wenn er glaubt, daß er das Haus leicht verkaufen kann, dann macht er sich wirklich Illusionen.

FOOT

— to put one's best foot forward
    1. tüchtig ausschreiten, sich beeilen, sich ranhalten:
We shall have to put our best foot forward if we are to reach the town on time.
Wir werden tüchtig ausschreiten müssen, wenn wir rechtzeitig in die Stadt kommen wollen.
    2. sein Bestes tun, sich von der besten Seite zeigen:
They all had to put their best foot forward to get things going.
Alle mußten ihr Bestes geben, um die Sache in Schwung zu bringen.

— to put one's foot down [colloq.]
    energisch werden, ein Machtwort sprechen, ,,mit der Faust auf den Tisch hauen":
The boy wanted to stay out until past midnight, but his father put his foot down.
Der Junge wollte bis nach Mitternacht ausbleiben, aber sein Vater sprach ein Machtwort.

— to put one's foot in it [colloq.]
    ,,ins Fettnäpfchen treten":
With his tactless way of talking he has put his foot in it more than once.
Mit seiner taktlosen Art zu reden ist er schon mehrmals ins Fettnäpfchen getreten.

FOR

— for all that
    trotz alledem:
For all that, I still don't believe him.
Trotz allem, was er sagt, glaube ich ihm nicht.

You'll have to fork out a lot of money.

— for all I know
 soviel ich weiß:
They have no children, for all I know.
Soweit ich weiß, haben sie keine Kinder.

FORK
— to fork up (od. out) [colloq.]
 (Geld) herausrücken, ,,blechen'':
You'll have to fork out a lot of money.
Du wirst ganz schön blechen müssen.

FRENCH
— to take French leave
 sich auf französisch empfehlen, heimlich verschwinden, sich
 verdrücken:
He did not like the people at the party and took French leave as
soon as possible.
Die Leute auf der Party gefielen ihm nicht, und er verdrückte sich
möglichst bald.

FRYING-PAN
— **to jump (od. get, fall, leap) out of the frying-pan into the fire**

    vom Regen in die Traufe kommen:

Going up this road we've just got out of the frying-pan into the fire. The traffic here is worse than on the road we've just left.

Wir sind vom Regen in die Traufe gekommen, als wir auf diese Straße gefahren sind, denn hier ist der Verkehr noch stärker als auf der vorigen.

FUN
— **to make fun of s.o. (s.th.)**

    sich über j-n (etw.) lustig machen:

His class-mates are always making fun of him because he has a squint.

Seine Klassenkameraden machen sich ständig über ihn lustig, weil er schielt.

FUR
— **to make the fur fly**

    Ärger machen, ,,Stunk'' machen:

When he finds out that you sold the antique table to a junk dealer he will certainly make the fur fly.

Wenn er merkt, daß du den antiken Tisch an einen Trödler verkauft hast, macht er unter Garantie Stunk.

G

GAME
— **to make game of s.o.**

    j-n zum besten haben, sich über j-n lustig machen:

You should be ashamed of making game of the old man.

Du solltest dich schämen, dich über den alten Mann lustig zu machen.

— **to be game for s.th.**

    bei etw. mitmachen:

I'm sure we can count on Peter; he's game for all sorts of practical jokes.
Mit Peter können wir bestimmt rechnen; wenn es um einen Streich geht, macht der doch immer mit.

GET
— **to get a move on** [sl.]
  ,,einen Zahn zulegen'', sich beeilen:
You won't catch the bus, unless you get a move on!
Wenn du dich nicht beeilst, kriegst du den Bus nicht mehr.

— **to get s.th. across to s.o.** [colloq.]
  j-m etw. klarmachen:
The old man found it difficult to get his outlook on life across to the young people.
Es war schwierig für den alten Mann, den jungen Leuten seine Lebensanschauung klarzumachen.

— **to get along (with s.o.)**
  (mit j-m) auskommen, sich (mit j-m) vertragen:
He gets along well with his brother.
Er kommt gut mit seinem Bruder aus.

— **get along with you!** [colloq.]
  1. verschwinde!:
What are you doing here? Get along with you!
Was machst du hier? Verschwinde!
  2. quatsch doch nicht!:
Get along with you! I don't believe a single word you say!
Quatsch doch nicht! Ich glaube dir kein einziges Wort.

— **to be getting at s.th.**
  auf etw. hinauswollen:
Tell me in plain words: what are you getting at?
Sag mir ganz offen: Worauf willst du hinaus?

— **to get away with it**
  ungestraft davonkommen:

It was such a gross lie! I never thought he would get away with it.

Es war eine so plumpe Lüge; ich hätte nie gedacht, daß er damit durchkommt.

— **to get back at s.o. (for s.th.), to get one's own back on s.o. (for s.th.)**
   sich an j-m (für etwas) rächen, es j-m heimzahlen:
Wait and see, I'll get back at him for spreading such rumours about me.
Wart's nur ab, ich zahle es ihm schon heim, daß er solche Gerüchte über mich in Umlauf gesetzt hat.

— **to get s.o. down** [colloq.]
   j-n „fertigmachen", j-n aufreiben:
This weather is getting me down.
Dieses Wetter macht mich ganz fertig.

— **to get down to s.th.**
   sich (ernsthaft) an etw. heranmachen:
You must stop trifling and get down to work.
Du mußt aufhören herumzutrödeln und dich ernsthaft an die Arbeit machen.

— **to get (s.th.) going**
   in Gang bringen od. kommen:
It's time to get things going.
Es ist Zeit, die Sache in Gang zu bringen.

— **to get in with s.o.**
   sich mit j-m anfreunden, sich mit j-m einlassen:
It was a mistake to get in with that chap.
Es war ein Fehler, sich mit dem Kerl einzulassen.

— **what's got into you (him,** etc.**)?** [colloq.]
   was ist in dich (ihn usw.) gefahren?, was ist denn jetzt los mit dir (ihm usw.)?:
Suddenly he flew into a fury. I didn't know what had got into him.
Plötzlich wurde er ganz wütend. Ich wußte nicht, was in ihn gefahren war.

— **to get off lightly** (od. **cheaply**)
glimpflich davonkommen:
With a fine of £ 50 you got off rather lightly.
Mit einer Geldstrafe von 50 Pfund bist du ja noch ziemlich glimpflich davongekommen.

— **to tell s.o. where to get off** (od. **where he gets off**)
j-m Bescheid stoßen:
*When the new employee was late for the third time in one week
the boss told him where to get off.*
Als der neue Angestellte zum dritten Mal innerhalb einer Woche
zu spät kam, hat ihm der Chef Bescheid gestoßen.

— **to get s.th. off one's chest**
sich etw. von der Seele schaffen (od. reden), etw. „loswerden":
*Don't keep everything to yourself! Get your problems off your
chest!*
Behalte doch nicht alles für dich! Schaff dir deine Probleme von
der Seele!

— **to get s.th. off one's hands**
(die Verantwortung für) etw. loswerden:
I'd be glad to get the matter off my hands.
Ich wäre (die Verantwortung für) die Sache gern los.

— **to be getting on for**
zugehen auf (einen Zeitpunkt), bald . . . (alt) werden:
It's getting on for ten o'clock.
Es ist bald 10 Uhr.
She is getting on for seventy.
Sie geht auf die Siebzig zu.

— **to get on with s.o.**
mit j-m aus- (od. zurecht)kommen, sich mit j-m vertragen:
She has a way of getting on with children.
Sie versteht es, mit Kindern umzugehen.

— **to get on with s.th.**
mit etw. fortfahren (od. weitermachen):

Do get on with your work! Don't sit there doing nothing all day.
Mach mit deiner Arbeit weiter! Sitz nicht den ganzen Tag untätig
hier herum!

— to get out of (doing) s.th.
    sich aus etw. herauswinden; sich davor (od. darum) drücken,
    etw. zu tun:
*It's no use trying to get out of your duties, however unpleasant
they are.*
Es hat keinen Sinn, wenn du versuchst, dich um deine Pflichten
zu drücken, ganz gleich wie unangenehm sie sind.

— to get round s.o.
    j-n „herumkriegen":
The little girl knew how to get round her father.
Die Kleine verstand es, ihren Vater herumzukriegen.

— to get round to (doing) s.th.
    dazu kommen (, etw. zu tun):
*I'm very busy today, but I hope to get round to your request to-
morrow.*
Ich habe heute sehr viel zu tun, aber ich hoffe, daß ich morgen
dazu komme, Ihr Anliegen zu erledigen.

— to get through s.th.
    1. etw. hinter sich bringen (od. kriegen), etw. erledigen:
She got through a lot of correspondence today.
Sie hat heute eine Menge Korrespondenz erledigt.
    2. etw. „durchbringen":
The young man got through all his money.
Der junge Mann brachte sein ganzes Geld durch.

GHOST
— not the ghost of a chance
    nicht die geringste Aussicht, „keine Spur von" einer Chance:
The horse hadn't the ghost of a chance of winning the race.
Das Pferd hatte nicht die geringste Aussicht, das Rennen zu gewinnen.

To persuade the crowd all you need is the gift of the gab.

GIFT
— to have the gift of the gab
redegewandt sein, ,,ein gutes Mundwerk haben'':
To persuade the crowd all you need is the gift of the gab.
Um die Menge zu überzeugen, braucht man weiter nichts als ein gutes Mundwerk.

GIFT-HORSE
— to look a gift-horse in the mouth
einem geschenkten Gaul ins Maul schauen:
Don't (od. never) look a gift-horse in the mouth.
Einem geschenkten Gaul schaut man nicht ins Maul.

GILT
— to take the gilt off the gingerbread
der Sache den Reiz nehmen, die Sache reizlos machen, die Lust an der Sache nehmen:

He got the job he wanted. But the fact that he had such a lot of
work to do soon took the gilt off the gingerbread.
Er bekam die gewünschte Stellung. Aber die Tatsache, daß er so
viel Arbeit hatte, ließ ihm bald die Lust daran vergehen.

GIVE
— **to give s.o. s.th. to cry for** (od. **about)**
 j-m Grund zum Weinen (od. ,,Heulen'') geben:
Stop crying or I'll give you s.th. to cry for.
Hör auf zu heulen, oder du wirst bald wirklich Grund zum Heulen
haben.

— **to give s.o. the glad eye** [sl.]
 j-m schöne Augen machen, j-m verliebte Blicke zuwerfen:
The girls gave the sailors the glad eye.
Die Mädchen warfen den Matrosen verliebte Blicke zu.

— **to give s.o. the glad hand** [sl.]
 j-m freudig die Hand entgegenstrecken, j-n freudig willkommen heißen:
He was ready to give the stranger the glad hand.
Er hieß den Fremden freudig willkommen.

— **give or take . . .**
 . . . darüber oder darunter, . . . mehr oder weniger:
She might be sixty years old, give or take two years.
Sie könnte 60 (Jahre alt) sein, auch zwei Jahre jünger oder älter.

— **to give s.o. what for** [colloq.]
 es j-m geben (od. besorgen):
If you don't stop playing with the matches, I'll give you what for!
Wenn du nicht aufhörst, mit den Streichhölzern zu spielen, kriegst
du was von mir!

— **to give way**
 1. nachgeben, zusammenbrechen, einstürzen:
The stand gave way and many people were hurt.
Die Tribüne brach zusammen, und viele Menschen wurden verletzt.
 2. nachgeben, einlenken:

At last he gave way, and no longer insisted on my going with him.
Schließlich gab er nach und bestand nicht länger darauf, daß ich mit ihm ginge.

— to give way to
    1. den Vorrang (od. die Vorfahrt) lassen:
Drivers give way to the traffic coming in on the right.
Die Fahrer lassen dem von rechts kommenden Verkehr die Vorfahrt.
    2. nachgeben, sich hingeben:
Don't give way to your despair!
Gib dich nicht deiner Verzweiflung hin!

— to give s.o. (s.th.) away
    j-n (etw.) verraten:
The prisoner refused to give away his accomplices.
Der Angeklagte weigerte sich, seine Komplizen zu verraten.

— to give the (whole) show away → show.

— to give the bride away
    die Braut dem Bräutigam zuführen (od. zum Altar geleiten):
The bride was given away by her father.
Die Braut wurde von ihrem Vater zum Altar geleitet.

— to give in (to s.o. [s.th.])
    (j-m) nachgeben, sich (einer Sache) beugen:
She usually has to give in to her big sister.
Sie muß meistens ihrer großen Schwester nachgeben.

— to give oneself up (to the police)
    sich (freiwillig) (der Polizei) stellen:
The escaped prisoner gave himself up.
Der entwichene Häftling stellte sich (der Polizei).

GLAD
— to be glad to see the back of s.o.
    froh sein, j-n wieder los zu sein, j-n „gern von hinten sehen":
Thank goodness she's leaving at last! I shall be glad to see the back of her.
Gott sei Dank geht sie endlich! Bin ich froh, wenn ich sie wieder los bin!

GLOVE
— **(not) to handle s.o. with kid gloves**
   j-n (nicht) mit Samthandschuhen anfassen:
The hijackers didn't handle their hostages with kid gloves.
Die Luftpiraten gingen sehr unsanft mit ihren Geiseln um.

GO
— **to go all out to do s.th.** [colloq.]
   alles daransetzen, etw. zu tun:
They went all out to beat the record, and they succeeded:
Sie setzten alles daran, den Rekord zu brechen, und es gelang ihnen.

— **to go all the way with s.o.**
   voll und ganz mit j-m übereinstimmen:
He agreed with much of what they said, but he couldn't go all the way with them.
Er war mit vielem, was sie sagten, einverstanden, aber er stimmte nicht in allen Punkten mit ihnen überein.

— **to go a long way** (od. **far**) **towards doing s.th.**
   wesentlich dazu beitragen, daß etw. getan wird:
The President's statements went a long way towards reassuring the nation.
Die Darlegungen des Präsidenten trugen wesentlich zur Beruhigung der Nation bei.

— **to go to great lengths** (od. **trouble, pains**) **to do s.th.**
   sich viel Mühe geben (od. sein möglichstes tun), um etwas zu erreichen:
He went to great lengths to achieve his ambition.
Er tat sein möglichstes, um seine ehrgeizigen Pläne zu verwirklichen.

— **to go one better than s.o.**
   j-n übertreffen, es j-m zuvortun, besser sein als j-d:
Mr. Brown is a schoolmaster, but his younger brother wants to go one better and become a professor.

Mr. Brown ist Lehrer, aber sein jüngerer Bruder will ihn noch übertreffen und Universitätsprofessor werden.

— to go it [colloq.]
auf die Pauke hauen, es toll treiben:
He has been going it for years, and now he is a physical wreck.
Er hat die ganzen Jahre über ein tolles Leben geführt, und jetzt ist er ein körperliches Wrack.

— to go along with s.o.
mit j-m übereinstimmen:
He didn't go along with his brother in this matter.
In dieser Angelegenheit stimmte er nicht mit seinem Bruder überein.

— to go back on s.o.
j-n verraten (od. hintergehen), j-n im Stich lassen:
He refused to believe that his friend had gone back on him.
Er wollte nicht glauben, daß sein Freund ihn hintergangen hatte.

— to go back on s.th.
etw. nicht halten, nicht zu etw. stehen:
He never goes back on what he promises.
Er hält immer, was er verspricht.

— to go down (well) with s.o.
bei j-m Anklang finden (od. „ankommen"):
The student knew what sort of answer went down well with the professor.
Der Student wußte, welche Antworten der Professor hören wollte.

— to go for nothing (little)
nichts (wenig) gelten, keine (wenig) Anerkennung finden:
All our work goes for nothing.
Unsere ganze Arbeit findet keine Anerkennung.

— to go in for s.th.
sich mit etw. befassen, sich für etw. interessieren, etw. betreiben:
In winter he goes in for skiing.
Im Winter treibt er Skisport.

— **to go off the deep end**

in Harnisch geraten, sich aufregen:

On the slightest provocation she goes off the deep end.

Wenn man sie nur im geringsten reizt, gerät sie gleich in Harnisch.

— **to go on about s.th.**

ständig von etw. reden, auf etw. herumreiten:

Some people like to go on about their ancestors.

Manche Leute lieben es, ständig von ihren Ahnen zu reden.

Stop going on about her little faults.

Reite nicht ständig auf ihren kleinen Schwächen herum!

— **to go on at s.o.**

ständig an j-m herumnörgeln, ständig mit j-m herumschimp-
fen:

Did you hear his wife going on at him last night?

Hast du gehört, wie seine Frau gestern abend mit ihm herumge-
schimpft hat?

— **to be going on for** → **to be GETting on for.**

— **to go out of one's way to do s.th.**

sich ganz besonders anstrengen (od. sich besondere Mühe
geben), etw. zu tun:

She went out of her way to satisfy us.

Sie gab sich besondere Mühe, uns zufriedenzustellen.

— **to go to the trouble of doing s.th.**

sich die Mühe machen, etw. zu tun:

Shall we go to the trouble of putting up an extra bed for her?

Sollen wir uns die Mühe machen und ein zusätzliches Bett für sie
aufstellen?

— **(it's) no go** [colloq.]

(das) geht nicht, (da ist) nichts zu machen:

I've tried to convince them, but it's no go.

Ich habe versucht, sie zu überzeugen, aber es ist nichts zu machen.

— **to have a go at s.th.** [colloq.]

etw. probieren (od. versuchen):

Come on, let's have a go at it!
Los, probieren wir's mal!

— **to be on the go** [colloq.]
ständig in Bewegung (od. unterwegs, auf den Beinen, „auf Achse") sein:
The farmer's wife was very busy and always on the go.
Die Bauersfrau war sehr beschäftigt und ständig auf Achse.

GOOD

— **for good**
für immer, endgültig:
After his farewell concert he retired for good.
Nach seinem Abschiedskonzert zog er sich für immer aus der Öffentlichkeit zurück.
You may keep it for good.
Du kannst es (für immer) behalten.

GOOSE

— **to cook s.o.'s goose**
j-m das Handwerk legen, j-m den Garaus machen, j-n „fertigmachen":
We must cook his goose before he can do any more harm.
Wir müssen ihm das Handwerk legen, bevor er weiteren Schaden anrichten kann.

GRAIN

— **to go** (od. **be**) **against the grain with s.o.**
j-m gegen den Strich gehen, j-m zuwider sein:
Telling such lies goes against the grain with me.
Es liegt mir nicht, so zu lügen.

GRASS

— **not to let the grass grow under one's feet**
nicht lange fackeln (od. zögern), keine Zeit verlieren:

not to let the grass grow under one's feet

If I were you I wouldn't let the grass grow under my feet; I'd buy
as many of these shares as I possibly could.
Ich an deiner Stelle würde nicht lange zögern und so viele von diesen Aktien kaufen wie nur irgend möglich.

GREASE
— to grease s.o.'s palm → palm.

GREEK
— that's Greek to me
   das sind mir (od. für mich) böhmische Dörfer:
She explained it to me at length, but what she said was all Greek
to me.
Sie hat es mir ausführlich erklärt, aber was sie sagte, waren alles
böhmische Dörfer für mich.

GREEN
— **to have green fingers**
eine (besondere) gärtnerische Begabung haben, mit Pflanzen umgehen können:
Some women seem to have green fingers.
Es gibt Frauen, die scheinen gärtnerisch besonders begabt zu sein.

GRIN
— **to grin and bear it**
gute Miene zum bösen Spiel machen:
There's no remedy. You simply have to grin and bear it.
Hilft nichts! Da heißt es einfach für dich gute Miene zum bösen Spiel machen.

GRIP
— **to come to grips with s.th.**
sich mit etw. auseinandersetzen, etw. anpacken, etw. „angehen'':
We've got to come to grips with the problem.
Wir müssen uns mit dem Problem auseinandersetzen.

— **to take a grip on oneself** [colloq.]
sich zusammenreißen, sich „am Riemen reißen'', sich einen Ruck geben:
If you want to finish today, you'd better take a grip on yourself and get on with your work!
Wenn du heute noch fertig werden willst, reiß dich (mal) am Riemen und mach dich wieder an die Arbeit!

GROUND
— **to cover much** (od. **a great deal of, a lot of**) **ground**
1. eine beträchtliche Wegstrecke zurücklegen:
The hikers covered a great deal of ground today.
Die Wanderer haben heute eine beträchtliche Strecke zurückgelegt.
2. umfassend sein, einen weiten Themenkreis umfassen:

The chairman's report covered much new ground.
Der Bericht des Vorsitzenden eröffnete viele neue Aspekte.

— **to gain (give** od. **lose) ground**
  an Boden gewinnen (verlieren):
The new theory soon gained ground.
Die neue Theorie gewann bald an Boden.

GROW
— **to grow on s.o.**
  1. j-m zur Gewohnheit werden:
I know I ought not to smoke so many cigarettes, but the habit has grown on me and I can't shake it off.
Ich weiß, ich sollte nicht so viele Zigaretten rauchen, aber das ist mir zur Gewohnheit geworden, und ich kann nicht mehr davon lassen.
  2. j-m lieb werden, j-m ans Herz wachsen:
You may not like this town at first, but you'll find it grows on you.
Es kann sein, daß du diese Stadt zuerst nicht magst, aber du wirst sehen, mit der Zeit wirst du sie liebgewinnen.

GUM-TREE
— **to be up a gum-tree** [colloq.]
  in der Klemme sitzen:
He had too little capital and was soon up a gum-tree.
Er hatte zuwenig Kapital und saß bald in der Klemme.

GUN
— **to stick to one's guns**
  sich nicht beirren lassen, festbleiben, „bei der Stange bleiben":
He has been set an almost impossible task, but I'm sure that he will succeed if he sticks to his guns.
Man hat ihm eine fast unlösbare Aufgabe gestellt, aber ich bin sicher, daß er es schaffen wird, wenn er nicht lockerläßt.

H
HAIR
— **to let one's hair down**
  1. sich ganz ungezwungen (od. leger) geben:

*They like to go camping, because in that atmosphere they can
really let their hair down.*
Sie zelten gern, weil sie sich in der Atmosphäre ganz zwanglos
geben können.

    2. seine Reserve aufgeben, ,,aus sich herausgehen'':
With a true friend you can let your hair down and tell everything.
Einem wahren Freund kannst du dich rückhaltlos anvertrauen und
alles erzählen.

— **to keep one's hair on** [sl.]
    sich nicht aufregen, nicht gleich wütend werden, sich nicht aus
    der Ruhe bringen lassen:
Keep your hair on! It can't be helped.
Reg dich nicht auf! Da(ran) ist nichts zu ändern.

HALF

— **too clever (cheeky,** etc.**) by half**
    viel zu gerissen (frech usw.):
This fellow is too clever by half for me.
Dieser Kerl ist mir viel zu gerissen.

— **to have half a mind to do s.th.**
    nicht übel Lust haben, etw. zu tun; fast etw. tun wollen:
I had half a mind to go to the concert.
Ich wollte fast in das Konzert gehen.

— **not half**
    1. bei weitem nicht, (noch) lange nicht:
This stick's not half long enough.
Dieser Stock ist bei weitem nicht lang genug.
That's not half bad. [colloq.]
Das ist gar nicht so übel.
    2. [sl.] gehörig, mordsmäßig:
Was she angry? — Not half!
War sie wütend? — Und wie!

— **that is half the battle**
    damit ist die Sache schon halb gewonnen, damit haben wir ge-
    wonnenes Spiel:

As a teacher you should try to win the pupils' confidence, that is half the battle.
Als Lehrer sollte man versuchen, das Vertrauen der Schüler zu gewinnen, damit ist schon viel erreicht.

HAND

— **to be hand in glove (with s.o.)**
   1. sich (mit j-m) gut verstehen, ein Herz und eine Seele (mit j-m) sein:
They were hand in glove, the old man and his brother.
Sie verstanden sich gut (miteinander), der alte Mann und sein Bruder.
   2. eng (mit j-m) verbündet sein (od. zusammenarbeiten), (mit j-m) unter einer Decke stecken:
Some policemen are said to be working hand in glove with the gangsters.
Es heißt, daß einige Polizisten mit den Verbrechern unter einer Decke stecken.

— **to change hands**
   den Besitzer wechseln, in andere Hände übergehen:
This property changed hands recently.
Dieses Grundstück hat vor kurzem den Besitzer gewechselt.

— **to give** (od. **lend**) **s.o. a hand (with s.th.)**
   j-m (bei etw.) helfen (od. behilflich sein, zur Hand gehen):
Could you lend me a hand with the packing, please?
Könntest du mir bitte beim Einpacken helfen?

— **to have (get** od. **gain) the upper** (od. **whip) hand (of. s.o.)**
   die Oberhand (über j-n) haben (gewinnen):
Suspicion gained the upper hand of Othello and made him kill Desdemona.
Argwohn bemächtigte sich Othellos und ließ ihn Desdemona töten.

— **to wash one's hands of s.th. (s.o.)**
   mit einer Sache (j-m) nichts zu tun haben wollen:

Some policemen are said to be working hand in glove with the gangsters.

When they realized what they had done, they all tried to wash their hands of it.
Als sie merkten, was sie angerichtet hatten, wollte es keiner gewesen sein.

— **to put (od. lay) one's hand(s) on s.th.**
 1. etw. finden:
I can't put my hands on the book at the moment.
Ich kann das Buch im Augenblick nicht finden.
 2. einer Sache habhaft werden, etw. erwischen od. „in die Finger kriegen":
Don't let him lay (his) hands on those cigarettes!
Paß auf, daß er die Zigaretten dort nicht in die Finger kriegt.

HANG
— **to get the hang of s.th.**
 1. etw. kapieren; begreifen, worum es bei etw. geht:

Did you get the hang of that lecture?
Hast du kapiert, worum es bei diesem Vortrag ging?
  2. ,,den Dreh bei etw. herauskriegen'':
He soon got the hang of driving the tractor.
Er hatte bald (den Dreh) heraus, wie man den Traktor fuhr.

— **hang it all!**
    zum Henker!, verflixt noch mal!:
Oh, hang it all! Where are my keys?
Oh, verflixt noch mal, wo sind meine Schlüssel?

HARD
— **to learn s.th. the hard way**
    etw. ,,auf die harte Tour'' lernen, Lehrgeld für etw. bezahlen
    müssen:
Parents often won't see that their children must learn certain
things in life the hard way.
Eltern wollen oft nicht einsehen, daß ihre Kinder ihre eigenen
(bitteren) Erfahrungen mit bestimmten Dingen im Leben machen
müssen.

— **to be hard up (for s.th.)**
    verlegen sein (um etw.), knapp sein (mit etw.):
She was constantly hard up (for money).
Sie war ständig pleite.

HASH
— **to make a hash of s.th.**
    etw. verpfuschen (od. ,,verpatzen'', ,,vermasseln''):
The poor girl made rather a hash of her life when she married this
man.
Die Ärmste hat ihr Leben ziemlich verpfuscht, als sie diesen Mann
heiratete.

HAT
— **to send** (od. **pass**) **round the hat**
    den ,,Hut herumgehen lassen'', sammeln:

The poor girl made rather a hash of her life when she married this man.

They passed the hat round to raise funds for the new sports centre.
Sie sammelten für die neue Sportanlage.

— **to take one's hat off to s.o.**
    den ,,Hut vor j-m ziehen'':
You did a very fine job! I take my hat off to you!
Du hast deine Sache prima gemacht! Meine Hochachtung!

HATCHET

— **to bury the hatchet**
    das ,,Kriegsbeil begraben'', (wieder) Frieden schließen:
Let's bury the hatchet and be friends again!
Laß(t) uns das Kriegsbeil begraben und wieder Freunde sein!

HAVE

— to have it in for s.o.
j-n „auf dem Kieker haben", es auf j-n abgesehen haben:
He thinks the police have it in for all foreigners.
Er glaubt, daß die Polizei es auf alle Ausländer abgesehen hat.

— to let s.o. have it [sl.]
„es j-m geben (od. besorgen)":
I'll let those children have it. They've broken the window with their football.
Die Kinder können was erleben; sie haben das Fenster mit ihrem Fußball eingeworfen.

— to have it out with s.o.
die Sache mit j-m bereinigen (od. aus der Welt schaffen):
The next time she comes here, I must have the whole matter out with her.
Wenn sie das nächste Mal wieder herkommt, muß ich die Angelegenheit mit ihr in Ordnung bringen.

— to have had it [sl.]
am Ende sein, verloren sein, ausgespielt haben:
Don't think you're going to get any money from me! You've had it!
Glaub nicht, daß du von mir Geld bekommst! Da kannst du lange warten.

— to have what it takes
das Zeug dazu haben:
His son has what it takes to be a good doctor.
Sein Sohn hat das Zeug zu einem guten Arzt.

— to be had
„übers Ohr gehauen werden":
He was convinced he'd got a bargain and I felt quite miserable when I had to tell him that he'd been had.
Er war überzeugt, daß er ein gutes Geschäft gemacht hatte, und es tat mir richtig weh, als ich ihm sagen mußte, daß man ihn übers Ohr gehauen hatte.

HAY

— to make hay while the sun shines

das Eisen schmieden, solange es heiß ist:

The boss is in a very generous mood today, so we should make hay while the sun shines and ask him for a rise.

Der Chef hat heute seine großzügige Tour; wir sollten das Eisen schmieden, solange es heiß ist, und ihn um eine Gehaltserhöhung bitten.

— to make hay of s.th.

1. etw. durcheinanderbringen, etw. in Unordnung bringen:

What's this? Who's been making hay of my desk?

Was ist hier los? Wer hat meinen Schreibtisch durcheinandergebracht?

2. etw. umwerfen (od. umstoßen, über den Haufen werfen):

The new evidence makes hay of the accepted theory.

Die neuen Ergebnisse werfen die bisher gültige Theorie über den Haufen.

HAYWIRE

— to go haywire [colloq.]

(völlig) überschnappen, aus dem Häuschen geraten, verrückt spielen:

The football team went haywire after winning the world cup.

Die Fußballmannschaft ist völlig übergeschnappt, seit sie den Weltpokal gewonnen hat.

During the earthquake, magnetic compasses didn't work and radios went haywire.

Während des Erdbebens funktionierten die Kompasse nicht, und die Radios spielten verrückt.

HEAD

— to be off one's head

verrückt (od. übergeschnappt) sein:

You must be off your head to give up this post.

Du bist wohl verrückt (geworden), daß du diesen Posten aufgibst.

— **to put our (your, their) heads together**
  die Köpfe zusammenstecken, sich (gemeinsam) beraten, beratschlagen:
They put their heads together, and thought out a scheme to kill him.
Sie berieten gemeinsam und schmiedeten ein Komplott, wie sie ihn töten könnten.

— **to be head and shoulders above s.o.**
  j-m haushoch (od. weitaus) überlegen sein, haushoch über j-m stehen:
In mathematics he was head and shoulders above all the others.
In Mathematik war er allen anderen weit überlegen.

— **to be unable to make head or tail of s.th.**
  aus etw. nicht schlau (od. klug) werden, mit etw. nicht klarkommen:
I can't make head or tail of this picture.
Ich habe nicht die geringste Ahnung, was dieses Bild bedeuten soll.

— **to take it into one's head to do s.th.**
  sich in den Kopf setzen, etwas zu tun:
He took it into his head to swim the Channel in mid-winter.
Er hat es sich in den Kopf gesetzt, mitten im Winter den Ärmelkanal zu durchschwimmen.

— **head over heels**
  1. kopfüber:
He fell head over heels into the water.
Er fiel kopfüber ins Wasser.
  2. bis über beide Ohren:
He was head over heels in love (debt).
Er war verliebt bis über beide Ohren. (Er steckte bis über beide Ohren in Schulden.)

— **to keep one's head above water**
  sich (finanziell) über Wasser halten:

The owner of the business has suffered great losses recently and is now trying desperately to keep his head above water.
Der Geschäftsmann hat in der letzten Zeit schwere Verluste erlitten und versucht jetzt verzweifelt, sich (finanziell) über Wasser zu halten.

— to come to a head
1. aufbrechen:
The abscess has come to a head.
Der Abszeß ist reif.
2. sich (immer mehr) zuspitzen:
The situation has come to a head.
Die Lage hat sich zugespitzt.

— to talk over (od. above) s.o.'s head
zu hoch für j-n sprechen:
The speaker talked over the heads of the audience.
Der Redner sprach zu hoch für seine Zuhörer(schaft).

HEART
— in one's heart of hearts
im Grund seines Herzens, im Innersten:
In her heart of hearts she felt she was wrong.
Im Grunde ihres Herzens fühlte sie, daß sie unrecht hatte.

— heart and soul
mit Leib und Seele, mit Feuereifer, mit ganzem Herzen:
He went into their plans heart and soul.
Er nahm mit Leib und Seele an ihrem Vorhaben Anteil.

— after s.o.'s (own) heart
ganz nach j-s Geschmack:
She's a girl after my own heart.
Sie ist ein Mädchen ganz nach meinem Geschmack.

— to have a (no) heart (for)
(kein) Erbarmen haben (mit), (k)ein Herz haben (für):
He always had a heart for the poor.
Er hatte immer ein Herz für die Armen.

He always had a heart for the poor.

— **s.o. has his heart in his boots, s.o.'s heart is in (od. goes into) his boots**

j-d hat große Angst, j-m rutscht das Herz in die Hose:

When the telephone bell rang, my heart went into my boots.
I knew bad news was coming.

Als das Telefon läutete, rutschte mir das Herz in die Hose(n). Ich wußte, es gab schlechte Nachrichten.

— **to have one's heart in one's mouth**

zu Tode erschrocken sein:

The little girl was knocked down by a car, and I had my heart in my mouth until I saw her stand up.

Das kleine Mädchen wurde von einem Auto angefahren, und das Herz schlug mir bis zum Halse, bis ich die Kleine wieder aufstehen sah.

— **to wear one's heart on one's sleeve:**

das Herz auf der Zunge haben (od. tragen):

He's not the sort of fellow to wear his heart on his sleeve, and it
came as quite a surprise to us when he told us all his troubles.
Er ist keiner von denen, die das Herz auf der Zunge tragen, und so
waren wir sehr überrascht, als er uns von all seinen Problemen erzählte.

HEEL
— **to be down at heel** (od. **at the heels**) → **down.**

— **to take to one's heels**
   die Flucht ergreifen, davonlaufen, türmen:
The people were panic-stricken and took to their heels.
Eine Panik ergriff die Leute, und sie liefen davon (so schnell sie
konnten).

HELP
— **to help a lame dog over a stile**
   j-m über seine Schwierigkeiten hinweghelfen, j-m in der Not
   beistehen:
He is always ready to help a lame dog over a stile; I hope at least
some of the people he befriends are grateful.
Er ist immer hilfsbereit. Hoffentlich sind wenigstens einige der
Leute, denen er hilft, dankbar.

HIT
— **to hit (s.o.) below the belt**
   (gegen j-n) unfair kämpfen, sich unfair (gegen j-n) verhalten:
To refer to his private affairs in public was hitting below the belt.
Auf seine privaten Angelegenheiten in aller Öffentlichkeit anzu-
spielen war unfair.

— **to hit it**
   richtig raten (od. vermuten):
The book must have been on another shelf. — You've hit it!
Das Buch muß auf einem anderen Regal gestanden haben. — (Du
hast es) erraten!

— **to hit it off (with s.o.)**
   gut (mit j-m) auskommen, sich gut (mit j-m) verstehen:
It's such a pity Peter and Jane don't hit it off together.
Es ist so schade, daß Peter und Jane sich nicht verstehen.

— **to hit the ceiling** (od. **roof**) [sl.]
   ,,an die Decke gehen'', ,,explodieren'':
*He hadn't been in the best of moods anyway, but when his wife
told him that she had smashed the car, he hit the ceiling.*
Er war ohnehin nicht in der besten Stimmung, und als seine Frau
ihm dann auch noch erzählte, daß sie das Auto zu Bruch gefahren
habe, ging er an die Decke.

HOLD

— **to hold one's ground** (od. **own**)
   sich (od. seinen Standpunkt) behaupten:
*The struggle was hard, but they held their ground, and won in the
end.*
Der Kampf war hart, aber sie behaupteten sich und waren am
Ende siegreich.

— **to hold one's tongue**
   den Mund halten:
,,Hold your tongue!'' she cried, and the boy said no more.
,,Halt den Mund!'' schrie sie, und der Junge sagte nichts mehr.

— **(not) to hold water**
   (nicht) stichhaltig sein (od. stimmen):
*Your theory won't hold water. It has been exposed as false again
and again.*
Deine Theorie stimmt nicht. Sie ist noch und noch widerlegt worden.

— **to hold good**
   gültig sein, gelten:
My promise to come next Sunday still holds good.
Mein Versprechen, am nächsten Sonntag zu kommen, gilt immer
noch.

— **(not) to hold with s.th.**
   mit etw. (nicht) einverstanden sein, etwas (nichts) von etw.
   halten, (nicht) für etw. sein:
   I don't hold with beating small children.
   Ich halte nichts davon, kleine Kinder zu prügeln.

HOLE
— **to be (to put s.o.) in a hole** [colloq.]
   in der Klemme (od. Patsche) sitzen (j-n in Schwulitäten bringen):
   If we don't catch the train we shall be in a hole.
   Wenn wir den Zug nicht erwischen, sitzen wir in der Patsche.
   They've put him in a hole by bringing up his political past.
   Durch die Erwähnung seiner politischen Vergangenheit haben sie
   ihn in Schwulitäten gebracht.

HOME
— **to bring** (od. **drive**) **s.th. home to s.o.**
   j-m etw. klarmachen (od. zum Bewußtsein bringen):
   *The punishment ought to bring home to him the folly of this ac-
   tion.*
   Die Strafe sollte ihm (eigentlich) das Törichte dieser Handlung
   zum Bewußtsein bringen.

— **to go** (od. **hit, strike**) **home**
   ,,sitzen", ins Schwarze treffen:
   The bullet struck home.
   Die Kugel traf ins Schwarze.
   His reproaches struck home and she burst into tears.
   Seine Vorwürfe saßen, und sie brach in Tränen aus.

HORSE
— **to be on one's** (od. **to ride the**) **high horse**
   auf dem hohen Roß sitzen:
   *It's only because some of these young men have got rich fathers
   that they can ride the high horse.*
   Einige dieser jungen Männer sitzen auf dem hohen Roß, nur weil
   sie reiche Väter haben.

It's only because some of these young men have got rich fathers that they can ride the high horse.

— **to hold one's horses**
 sich zurückhalten, sich im Zaum halten:
Don't be so rash! Hold your horses!
Sei nicht so vorschnell! Immer mit der Ruhe!

— **(straight) from the horse's mouth**
 aus erster Hand, aus direkter Quelle:
I've had the news straight from the horse's mouth.
Ich habe die Nachricht aus direkter Quelle.

HOT
— **to make it hot for s.o.** → **make.**

— **to be in (to get s.o. into) hot water**
 in der Klemme (od. in Teufels Küche) sein (j-n in Teufels Küche
 bringen):

His indiscreet snapshots soon got ihm into hot water.
Seine indiskreten Schnappschüsse brachten ihn bald in Teufels Küche.

— **to talk a lot of hot air** [colloq.]
  viel leeres Geschwätz von sich geben:
Don't take any notice of her! She talks nothing but a lot of hot air.
Schenk ihr keine Beachtung! Was sie daherredet, ist nichts als leeres Geschwätz.

HOUSE
— **like a house on fire**
  blitzschnell, im Eiltempo, mit rasender Geschwindigkeit:
Peggy was typing away the letters like a house on fire.
Peggy tippte die Briefe im Eiltempo.

— **to set** (od. **put**) **one's house in order**
  seine Angelegenheiten regeln:
Before criticizing others you should set your own house in order.
Bevor du andere kritisierst, solltest du erst einmal deine eigenen Angelegenheiten in Ordnung bringen.

HUE
— **to raise a hue and cry**
  ein Zetergeschrei erheben:
She raised such a hue and cry that the thief had no chance to get away.
Sie erhob ein solches Zeter und Mordio, daß der Dieb keine Chance hatte zu entkommen.

HUM
— **to hum and haw** [colloq.]
  ,,herumdrucksen'':
Tell me what's the matter without humming and hawing.
Sag mir, ohne herumzudrucksen, was los ist!

— **to make things hum**
  Leben (od. Schwung) in die Bude bringen:

*As soon as the manager came into the office, he made things
hum.*
Sobald der Direktor ins Büro kam, brachte er Leben in die Bude.

HUMP
— **to have (to give s.o.) the hump** [sl.]
   schlechte Laune haben (j-m die Laune verderben):
Our daughter seems to have the hump this morning.
Unser Fräulein Tochter scheint heute morgen schlechter Laune zu
sein.

I

ICE
— **to be (skating) on thin ice**
   in einer prekären Lage sein:
*He was skating on thin ice in his speech because he had no real
knowledge of the subject.*
Er hatte sich in seiner Rede auf gefährliches Glatteis begeben,
denn er hatte nicht viel Ahnung von der Materie.

ILL
— **to be** (od. **feel**) **ill at ease**
   sich unbehaglich fühlen, ein ungutes Gefühl haben:
I felt rather ill at ease and remained silent.
Mir war ziemlich unbehaglich zumute, und ich schwieg.

IN
— **to be in for s.th.**
   etw. zu gewärtigen haben:
She heard what you said about her. Now you're in for it.
Sie hörte, was du über sie sagtest. Jetzt geht's dir an den Kragen!
We are in for an unwelcome surprise.
Eine unangenehme Überraschung steht uns bevor.

— **in for a penny, in for a pound** → **penny.**

— **to let s.o. in on s.th.**
   j-n in etw. einweihen:

I've got a lot of secret information, but I'll let you in on it.
Ich habe eine Menge Geheiminformationen, aber ich werde dich einweihen.

— **to know the ins and outs of s.th.**
    etw. in allen Einzelheiten (od. Feinheiten) kennen, etw. in- und auswendig (od. durch und durch) kennen:
He knew all the ins and outs of his job.
Er kannte sich ganz genau in seinem Beruf aus.

— **to be in**
    ,,in'' (od. gefragt, in Mode) sein:
Long skirts are in again this winter.
Lange Röcke sind in diesem Winter wieder in (Mode).

J

JACKPOT
— **to hit the jackpot**
    das Große Los ziehen, Glück haben:

That fellow hit the jackpot when he bought those shares.

106

That fellow hit the jackpot when he bought those shares.
Der Bursche hat das Große Los gezogen, als er diese Aktien kaufte.

JOB
— **to be on the job** [colloq.]
   auf dem Posten (od. ,,auf Draht'') sein:
He's right on the job day and night.
Er ist bei Tag und Nacht voll auf dem Posten.

JUMP
— **to jump at s.th.**
   sich auf etw. stürzen, sofort auf etw. eingehen (od. bei etw. zugreifen):
When I showed my willingness to give her £1000 as a loan she jumped at the offer.
Als ich mich bereit zeigte, ihr 1000 Pfund als Darlehen zu geben, ging sie sofort auf mein Angebot ein.

— **to jump to conclusions**
   voreilige Schlüsse ziehen, vorschnell urteilen:
Instead of jumping to conclusions you should rather try to get further evidence.
Statt voreilige Schlüsse zu ziehen solltet ihr lieber versuchen, weiteres Beweismaterial zu bekommen.

K

KEEP
— **to keep abreast of** (od. **with**) **s.th.**
   1. mit etw. Schritt halten:
We try to keep abreast of all modern improvements.
Wir versuchen, mit allen modernen Neuerungen Schritt zu halten.
Will our politicians succeed in keeping wages abreast of the rising cost of living?
Werden unsere Politiker erreichen, daß die Löhne mit den steigenden Lebenshaltungskosten Schritt halten?

2. über etw. auf dem laufenden bleiben, sich über etw. auf dem laufenden halten:
As a scientist he must keep abreast with related work in his field.
Als Wissenschaftler muß er sich über die einschlägige Forschungsarbeit auf seinem Gebiet auf dem laufenden halten.

— to keep in with s.o.
sich j-n warmhalten, sich j-s Gunst erhalten, es nicht mit j-m verderben:
He may be useful to you some day. Try to keep in with him.
Er kann dir eines Tages nützlich sein. Versuch, ihn dir warmzuhalten!

— to keep up with s.o.
mit j-m mithalten (od. Schritt halten), es j-m gleichtun:
They spend a lot of money just to keep up with the Joneses.
Sie geben eine Menge Geld aus, nur um mit ihren Nachbarn mithalten zu können.

— to keep the ball rolling
das Gespräch (od. die Sache) in Gang halten:
We had very little to talk about and it was rather a hard job to keep the ball rolling.
Wir hatten uns sehr wenig zu sagen, und es war ziemlich schwierig, das Gespräch in Gang zu halten.

— to keep one's chin (od. pecker [sl.]) up [colloq.]
den Mut nicht sinken lassen, die Ohren steifhalten:
Keep your pecker up, Tommy! It won't hurt.
Kopf hoch, Tommy! Es wird (schon) nicht weh tun!

— to keep one's fingers crossed
,,den (od. die) Daumen halten (od. drücken)'':
We've got an exam to do today. Keep your fingers crossed for me!
Wir schreiben heute eine Prüfungsarbeit. Halt mir den Daumen!

KEY
— to key s.o. up
j-n in nervöse Spannung versetzen:
He was so keyed up that he couldn't sleep all night.
Er war so überdreht, daß er die ganze Nacht nicht schlafen konnte.

KICK

— to kick one's heels
müßig herumstehen, ungeduldig warten:
He was kicking his heels waiting for the postman.
Er (stand herum und) wartete ungeduldig auf den Briefträger.

— to kick the bucket [sl.]
,,abkratzen'', ,,ins Gras beißen'', sterben:
What about Smith? — Oh, he kicked the bucket long ago.
Was ist mit Smith los? — Oh, der hat schon lange ins Gras gebissen.

— to kick over the traces
über die Stränge schlagen:
When he was a bachelor he liked to kick over the traces now and then, but since his marriage his wife has been holding him on a tight rein.
Als er noch Junggeselle war, schlug er hin und wieder mal ganz gern über die Stränge, aber seit seiner Heirat hat seine Frau ihn fest an der Leine.

— to kick up a fuss (od. stärker: **shindy, row, rumpus**) [colloq.]
Krach schlagen (od. machen), Lärm schlagen:
If you don't stop the nuisance I shall go to the police and kick up a row about it.
Wenn Sie nicht mit dem Unfug aufhören, werde ich zur Polizei gehen und Lärm schlagen.

— to kick up one's heels
sich amüsieren, ,,auf die Pauke hauen'':
The old fellow goes off to the Riviera once a year to kick up his heels.
Der alte Knabe fährt einmal im Jahr an die Riviera, um dort kräftig auf die Pauke zu hauen.

— to get a kick out of s.th.
einen Riesenspaß an etw. haben:
They got a great kick out of this music.
Diese Musik hat ihnen riesigen Spaß gemacht.

You could have knocked me down with a feather!

— **to do s.th. for kicks**
etw. nur zum Spaß (od. aus reinem Vergnügen) tun:
They go climbing for kicks, not as a serious sport.
Sie betreiben die Bergsteigerei nur zu ihrem Vergnügen, nicht als
ernsthaften Sport.

KNIT
— **to knit one's brow(s)**
die Brauen zusammenziehen, die Stirn runzeln:
He sat there knitting his brow in thought.
Er saß da und runzelte gedankenvoll die Stirn.

KNOCK
— **you could have knocked me down with a feather!**
da war ich einfach platt!, das war vielleicht eine Überraschung!:

It was such a surprise to see her in a nightclub, you could have knocked me down with a feather!
Es war eine solche Überraschung, sie in einer Bar zu sehen; ich war einfach platt!

— **to knock off (work)**
   (mit der Arbeit) Schluß machen, aufhören:
On Saturday they knock off at 12.
Samstags machen sie um 12 Uhr Schluß.

— **to knock s.o. (s.th.) into a cocked hat**
   1. j-m (e-r Sache) weitaus überlegen (oder „über") sein, j-n (etw.) weit übertreffen (od. in den Schatten stellen):
This last novel of his is so good it knocks all his other ones into a cocked hat.
Dieser letzte Roman von ihm ist so gut, daß daneben all seine anderen verblassen.
   2. j-n (etw.) „in den Sack stecken" (od. „fertigmachen"):
Their football team can knock any other team into a cocked hat.
Ihre Fußballmannschaft kann jede andere Mannschaft fertigmachen.

— **to knock the bottom out of an argument**
   ein Argument entkräften (od. „aushöhlen"), e-m Argument den Wind aus den Segeln nehmen:
These new facts will knock the bottom out of the arguments for their case.
Diese neuen Fakten werden ihre Argumente entkräften.

KNOW
— **to know all the answers**
   gewieft (od. „gerissen") sein, Bescheid wissen:
Young Kelly is a smart lad, and seems to know all the answers.
Der junge Kelly ist ein schlauer Bursche und scheint sich auszukennen.

— **to know the ropes**
   die Schliche (od. den Rummel) kennen, sich auskennen:
Let him act as chairman, as he knows the ropes.
Er soll den Vorsitz führen, weil er sich auskennt.

— to know on which side one's bread is buttered
sich auf seinen Vorteil verstehen, auf seinen Vorteil aus sein:
The author knew on which side his bread was buttered, and moved to Switzerland.
Der Schriftsteller wußte, wo sein Vorteil lag und zog in die Schweiz.

— to be in the know
Bescheid wissen, sich auskennen:
You'd better ask the manager himself about that project to establish a new branch office. He's the only one who is officially in the know.
Fragen Sie besser den Direktor selbst wegen des Planes, eine neue Filiale zu errichten. Er ist der einzige, der offiziell darüber Bescheid weiß.

L

LARGE

— to be at large
auf freiem Fuß sein, in Freiheit sein, frei herumlaufen:
A wolf escaped from the zoo and is at large in the town.
Ein Wolf ist aus dem Tierpark ausgebrochen und läuft frei in der Stadt herum.

LAST

— the last word in s.th.
das Allerneueste (od. Allerbeste) auf einem Gebiet:
This is the last word in electric cookers.
Das ist das Allerneueste an Elektroherden.

— that's the last straw!
jetzt reicht's (mir) aber!, das hat (mir) gerade noch gefehlt!:
That's the last straw! I won't put up with your insolence any longer!
Jetzt reicht's mir! Ich lasse mir deine Unverschämtheiten nicht länger bieten.

LAUGH

— **to have the laugh of** (od. **on**) **s.o.**
am Ende über j-n triumphieren, j-n auslachen können:
He had the laugh of them all when it turned out that he was the
only one to benefit under the will.
Am Ende triumphierte er über sie alle, als sich nämlich heraus-
stellte, daß er als einziger in dem Testament bedacht war.

— **for laughs** [Am. colloq.]
nur zum Spaß, aus blankem Unsinn:
The gang beat the boy up just for laughs.
Die Bande schlug den Jungen nur so zum Spaß zusammen.

— **you'll laugh on the other side of your face** (od. **on the**
  wrong side of your mouth)!
das Lachen wird dir (schon) vergehen!:
When you come home, you'll laugh on the other side of your face!
Wenn du nach Hause kommst, wird dir das Lachen vergehen!

— **to laugh up** (od. **in**) **one's sleeve**
sich ins Fäustchen lachen, sich heimlich lustig machen:
He's not really in earnest. He's laughing up his sleeve at us.
Er meint es nicht ernst. Er macht sich heimlich über uns lustig.

LEAD

— **to lead s.o. by the nose**
j-n an der Kandare haben (od. halten), j-n am Gängelband
führen:
She leads her husband by the nose.
Ihr Mann muß tun, was sie will.

— **to lead s.o. up the garden path**
j-n nasführen, j-n an der Nase herumführen, j-n hereinlegen,
j-n „auf den Arm nehmen":
Don't believe him! He's leading us up the garden path.
Glaubt ihm nicht! Er führt uns nur an der Nase herum.

— **to lead s.o. a (pretty) dance**
j-m das Leben sauer machen, j-m zusetzen, j-n herumhetzen:

She leads her husband by the nose.

The monkey led the firemen a pretty dance all over the town before they caught him.
Der Affe hetzte die Feuerwehrleute in der ganzen Stadt herum, bevor sie ihn einfingen.

LEAN
— **to lean over backward(s) to do s.th.** [colloq.]
   sich fast umbringen (od. sich die größte Mühe geben), etw. zu tun:
He is leaning over backward(s) to make us feel at home.
Er gibt sich alle Mühe, daß wir uns wie zu Hause fühlen.

LEAP
— **by leaps (and bounds)**
   sprunghaft, außerordentlich schnell (od. rasch):
The population is increasing by leaps and bounds.
Die Bevölkerung wächst sprunghaft an.

LEAVE

— to leave s.o. in the lurch
j-n im Stich lassen:
We cannot leave him in the lurch like this.
Wir können ihn in dieser Situation nicht im Stich lassen.

— to leave s.o. out in the cold
j-n kaltstellen (od. übergehen, übersehen, unbeachtet lassen):
In this plan, old-age pensioners are left out in the cold.
Bei diesem Plan bleiben die Rentner völlig unberücksichtigt.

— to leave no stone unturned
nichts unversucht lassen, alle Hebel in Bewegung setzen:
The parents left no stone unturned in their attempts to trace their missing son.
Die Eltern ließen nichts unversucht, eine Spur von ihrem verschwundenen Sohn zu finden.

LEG

— not to have a leg to stand on
sich auf nichts stützen können, keinerlei Beweise haben:
Some people say that this country will soon be a republic, but they haven't a leg to stand on.
Manche Leute sagen, daß unser Land bald eine Republik sein wird, aber sie haben dafür keinerlei Beweise.

— to give s.o. a leg up
j-m („auf die Beine") helfen, j-m unter die Arme greifen:
He's a very influential man and I'm sure he'll give you a leg up if you ask him to.
Er ist ein sehr einflußreicher Mann und wird dir bestimmt beruflich unter die Arme greifen, wenn du ihn darum bittest.

— to be on one's last legs
auf dem letzten Loch pfeifen, am Ende sein:
Poor old Smith has got pneumonia. I'm afraid he's on his last legs.
Der arme alte Smith hat eine Lungenentzündung bekommen. Ich fürchte, jetzt geht es mit ihm zu Ende.
This car is on its last legs. There's rust all over the bodywork.
Dieses Auto pfeift auf dem letzten Loch; die Karosserie ist völlig verrostet.

LET

— let alone

1. die Finger lassen von, in Ruhe lassen:

Let that vase alone! You'll break it!

Laß die Finger von der Vase, sonst zerbrichst du sie!

Shall I tell her the truth? — No, let well alone!

Soll ich ihr die Wahrheit sagen? — Nein, (tu das) besser nicht!

2. [colloq.] geschweige denn, ganz zu schweigen von, abgesehen von:

There were five people in the car, let alone a dog and a lot of luggage.

Es waren fünf Leute in dem Auto, dazu noch ein Hund und eine Menge Gepäck.

— to let s.o. have it [sl.]

es j-m tüchtig geben, j-n fertigmachen:

When the guests had left, she let him have it for drinking so much brandy.

Als die Gäste gegangen waren, machte sie ihn fertig, weil er so viel Kognak getrunken hatte.

— to let s.o. down gently (od. **easy** [Am.])

mit j-m glimpflich verfahren, j-n schonend behandeln:

The judge was sorry for the woman and let her down gently.

Die Frau tat dem Richter leid, und er verfuhr glimpflich mit ihr.

— to let s.o. in for s.th.

j-m etw. einbrocken (od. aufhalsen):

He got let in for paying the bill for the lot of them.

Es blieb an ihm hängen, für die ganze Bande die Rechnung zu bezahlen.

LICK

— to lick s.o. (s.th.) into shape

j-m den fehlenden Schliff beibringen (etw. in die richtige Form bringen, etw. zurechtbiegen od. -stutzen):

A year or two at boarding-school will soon lick that young ruffian into shape.

Ein oder zwei Jahre Internat werden diesem ungehobelten jungen Burschen schon den fehlenden Schliff beibringen.

to lick s.o.'s boots

— **to lick s.o.'s boots** (od. **shoes**)
   vor j-m kriechen:
He is very proud and will never lick anyone's boots.
Er ist sehr stolz und wird nie vor jemandem kriechen.

LIE
— **to lie low**
   sich versteckt halten, sich nicht rühren, ,,untertauchen'':
It is better to lie low until this affair blows over.
Es ist besser, sich nicht zu rühren, bis über diese Angelegenheit
Gras gewachsen ist.

LIFE
— **for the life of me**
   um alles in der Welt, so sehr ich mich (auch) bemühe:
For the life of me I couldn't remember her name.
Ich konnte mich um alles in der Welt nicht an ihren Namen erinnern.

— **not on your life!** [colloq.]

nie und nimmer!, keinesfalls!, auf (gar) keinen Fall!:

I couldn't do a thing like that. Not on your life!

Ich könnte so etwas nicht tun. Nie und nimmer!

LIFT

— **not to lift a finger (to do s.th.)**

keinen Finger rühren (od. krumm machen) (‚um etw. zu tun):

She never lifts a finger to help me.

Sie rührt nie einen Finger, um mir zu helfen.

LIGHT

— **to make light of s.th.**

etw. auf die leichte Schulter nehmen:

Don't make light of this cold.

Nimm diese Erkältung nicht auf die leichte Schulter!

LIKE

— **if you don't like it, you can** (od. **may) lump it**

du wirst dich damit abfinden (od. in den sauren Apfel beißen) müssen:

Well, my friend, that's my last word. And if you don't like it you can lump it.

Nun, mein Lieber, das ist mein letztes Wort. Du wirst dich wohl damit abfinden müssen.

— **that's just like . . .**

das sieht . . . ähnlich!

She's late again. That's just like her!

Sie kommt wieder zu spät. Das sieht ihr ähnlich!

— **that's more like it!** [colloq.]

das läßt sich schon eher hören!, damit kommen wir der Sache schon näher!:

They are offering us £2000 now. That's more like it!

Sie bieten uns jetzt 2000 Pfund. Das läßt sich schon eher hören!

— **like anything**

wie sonst was, wie verrückt, wie besessen:

The wound hurts like anything.
Die Wunde tut wahnsinnig weh.

LIVE
— to live in clover
  im Wohlstand leben, ein angenehmes (od. luxuriöses) Leben führen:
His new job is well paid and the family are living in clover.
Seine neue Stellung ist gut bezahlt, und die Familie lebt im Wohlstand.

— to live it up
  „auf die Pauke hauen'', sich ein schönes Leben machen:
He inherited a fortune two years ago and has been living it up ever since.
Vor zwei Jahren hat er eine reiche Erbschaft gemacht, und seitdem lebt er in Saus und Braus.

LOCK
— lock, stock, and barrel
  ganz und gar, mit allem Drum und Dran:
He took over the duties of his predecessor lock, stock, and barrel.
Er übernahm die Amtsgeschäfte seines Vorgängers mit allem, was dazugehörte.

LONG
— the long and the short of it is
  der langen Rede kurzer Sinn ist, mit einem Wort, kurzum:
The long and the short of it is that you don't like this music.
Kurzum, du magst diese Musik nicht.

LOOK
— to look alive, to look sharp
  sich beeilen, sich tummeln:
Look alive or you'll miss your train!
Mach schnell, sonst versäumst du deinen Zug!

— **to look a gift-horse in the mouth** → **gift-horse.**

— **to look down upon** (od. **down one's nose at**) **s.o.**
über j-n die Nase rümpfen, verächtlich auf j-n herunterschauen:
They were snobs. They looked down upon their neighbours.
Sie waren Snobs. Sie schauten verächtlich auf ihre Nachbarn herunter.

LOOSE

— **to be at a loose end**
1. nichts zu tun haben, keine Arbeit haben, Zeit haben:
Give me a ring if you are at a loose end this afternoon.
Ruf mich an, wenn du heute nachmittag (gerade) nichts zu tun hast!
2. nicht wissen, was man tun soll:
When their car broke down they found themselves stranded in a village and very much at a loose end.
Als ihr Auto zusammenbrach, saßen sie in einem Dorf fest und wußten nicht, was sie tun sollten.

LOSS

— **to be at a loss**
in Verlegenheit sein:
This fellow is never at a loss for an answer.
Dieser Bursche ist nie um eine Antwort verlegen.

LOVE

— **not for love or money**
nicht für Geld und gute Worte:
She couldn't get a theatre ticket for love or money.
Nicht für Geld und gute Worte konnte sie eine Theaterkarte bekommen.

M

MAD

— **as mad as a hatter**
total verrückt, völlig übergeschnappt:

I know him. Sometimes he's as mad as a hatter and does the strangest things.
Ich kenne ihn. Manchmal ist er total verrückt und tut die merkwürdigsten Sachen.

MAKE
— **to make a go of s.th.**
   etw. zu einem Erfolg machen:
Her father set her up in a bookseller's business, but she couldn't make a go of it.
Ihr Vater ermöglichte es ihr, sich als Buchhändlerin niederzulassen, aber sie hatte kein Glück damit.

— **to make a night of it**
   die Nacht durchmachen, die ganze Nacht durchfeiern:
Today's my birthday. Come along, let's make a night of it!
Ich habe heute Geburtstag. Komm mit, wir wollen die ganze Nacht durchfeiern.

— **to make a song and dance about s.th.**
   viel Getue um (od. Aufhebens von) etw. machen:
She needn't make a song and dance about how busy she is.
Sie braucht nicht so viel Aufhebens davon zu machen, wieviel sie zu tun hat.

— **to make (both) ends meet**
   mit seinen Einkünften auskommen, sich nach der Decke strekken, sich einrichten:
The young couple had much difficulty in making both ends meet.
Das junge Paar hatte große Mühe, finanziell über die Runden zu kommen.

— **to make do (od. shift) with s.th.**
   sich mit etw. behelfen:
She had no time for breakfast, so she made do with a hasty cup of tea.
Sie hatte keine Zeit zum Frühstücken, so behalf sie sich und trank schnell eine Tasse Tee.

— to make eyes at s.o.

j-m schöne Augen machen, mit j-m kokettieren:

He is the sort of man who makes eyes at any pretty woman.

Er gehört zu den Männern, die jeder hübschen Frau schöne Augen machen.

— to make hay of s.th → hay.

— to be unable to make head or tail of s.th. → head.

— to make it hot (od. warm) for s.o. [colloq.]

j-m die Hölle heiß machen, j-m tüchtig „einheizen":

If I catch the boy who broke the window, I'll make it hot for him!

Wenn ich den Jungen erwische, der die Fensterscheibe eingeworfen hat, dann kann er was (von mir) erleben!

— to make s.o.'s blood boil

j-s Blut (vor Wut) zum Kochen bringen:

It made my blood boil to see how she treated her mother.

Ich kochte vor Wut, als ich sah, wie sie ihre Mutter behandelte.

— to make no bones about s.th.

1. nicht viel Federlesens mit etw. machen, nicht lange mit etw. fackeln:

He sacked the man who had stolen the money, and made no bones about it.

Ohne lange zu fackeln, entließ er den Mann, der das Geld gestohlen hatte.

2. kein Hehl aus etw. machen, sich nicht mit etw. zurückhalten:

He made no bones about his dislike of his father-in-law.

Er machte kein Hehl aus seiner Abneigung gegen seinen Schwiegervater.

— to make s.o.'s hair stand on end

j-m die Haare zu Berge stehen lassen:

Her screams made my hair stand on end.

Ihre Schreie ließen mir die Haare zu Berge stehen.

— to make tracks [colloq.]

1. sich auf die Socken machen:

When he saw the police coming, he made tracks.

It's time! Let's make tracks for home!
Es ist Zeit! Machen wir uns auf die Socken und gehen nach Hause!
    2. sich aus dem Staub machen, „abhauen":
When he saw the police coming, he made tracks.
Als er die Polizisten kommen sah, machte er sich aus dem Staub.

— **to make up one's mind**
    sich entscheiden (od. entschließen), beschließen:
She made up her mind to sell the house her father had left her.
Sie beschloß, das Haus zu verkaufen, das ihr Vater ihr hinterlassen
hatte.

— **to make up for s.th.**
    etw. wettmachen, etw. wiedergutmachen:
Her beauty cannot make up for her lack of intelligence.
Ihre Schönheit kann ihren Mangel an Intelligenz nicht wettma-
chen.
We must make up for lost time.
Wir müssen die verlorene Zeit wieder einbringen.

123

— **as . . . as they make them** [colloq.]

so . . . „wie nur was":

That boy is as lazy as they make them.

Der Junge ist so faul wie nur was.

— **to make a point of s.th.**

1. Wert auf etwas legen, auf etwas bedacht sein:

She makes a point of being punctual with the meals.

Sie ist darauf bedacht, die Mahlzeiten pünktlich auf den Tisch zu bringen.

2. es sich zum Prinzip machen:

He makes a point of being in his office at nine o'clock.

Er ist grundsätzlich um neun Uhr in seinem Büro.

MAN

— **a man about town**

ein Lebemann:

Since he has plenty of money he leads the life of a man about town.

Seit er viel Geld hat, führt er das Leben eines Lebemannes.

— **to a man**

bis zum letzten Mann, Mann für Mann:

The company fought bravely and stayed at their post, to a man.

Die Kompanie kämpfte tapfer und hielt auf ihrem Posten aus, bis zum letzten Mann.

MAP

— **to be off the map** [colloq.]

hinter dem Mond liegen:

That village is rather off the map. I shouldn't like to live there.

Dieses Dorf liegt ziemlich hinter dem Mond. Ich möchte nicht dort wohnen.

— **to be wiped off the map**

vom Erdboden (od. von der Bildfläche) verschwunden sein:

Where's that old inn that used to be at the corner? — Oh, it was wiped off the map years ago!

Wo ist das alte Wirtshaus, das früher hier an der Ecke stand? — Oh, das ist schon vor Jahren von der Bildfläche verschwunden!

MARCHING ORDERS
— to give s.o. his (to get one's) marching orders
j-n „rausschmeißen" od. hinauswerfen od. entlassen („raus-
fliegen", entlassen werden):
The girl did very poor work and soon got her marching orders.
Das Mädchen arbeitete ganz miserabel und flog bald raus.

MARK
— up to (below) the mark
gesundheitlich (nicht) auf der Höhe, (nicht) „auf dem Damm":
My sister wasn't up to the mark yesterday.
Meine Schwester war gestern gesundheitlich nicht auf der Höhe.

— to be an easy mark (for s.o.) [colloq.]
leicht (von j-m) hereinzulegen sein:
He is rather credulous and an easy mark for everyone.
Er ist ziemlich gutgläubig und von jedermann leicht hereinzulegen.

— to be beside the mark
nicht zur Sache gehören:
All his comments were beside the mark.
Alles, was er sagte, war nicht zur Sache gehörig.

— to be quite off (od. **wide of) the mark**
sich gewaltig irren:
You are wide of the mark. He meant something quite different.
Du irrst dich gewaltig. Er meinte etwas ganz anderes.

MATCH
— to meet (od. **find) one's match**
seinen Meister finden:
At last he had found his match.
Endlich hatte er seinen Meister gefunden.

MATTER
— as a matter of fact
tatsächlich, eigentlich, in Wirklichkeit, um die Wahrheit zu sagen:

As a matter of fact I met him only the day before yesterday.
Tatsächlich habe ich ihn erst vorgestern getroffen.

MEDICINE
— **to get some** (od. **a little) of one's own medicine**
   so behandelt werden, wie man die anderen behandelt:
He kept her waiting for an hour, so she got a little of her own medicine.
Er ließ sie eine Stunde warten, um ihr mit gleicher Münze heimzuzahlen.

MEET
— **to meet with s.th.**
   1. etw. erleben, etw. erleiden:
The poor fellow met with many hardships.
Der Arme hatte viel zu leiden.
   2. e-r Sache begegnen, etw. antreffen:
On his travels he met with many strange sights.
Auf seinen Reisen sah er viel Sonderbares.

MEND
— **to mend one's ways**
   sich (sittlich) bessern:
After a life of dissipation he has mended his ways.
Nach einem liederlichen Leben hat er sich (jetzt) gebessert.

— **to be on the mend**
   1. sich auf dem Wege der Besserung befinden:
Her daughter's health was on the mend.
Ihre Tochter befand sich auf dem Weg der Besserung.
   2. wieder besser werden, sich erholen:
Business is again on the mend.
Es geht wieder aufwärts mit dem Geschäft.

MENTION
— **don't mention it!**
   (Antwort auf Dank:) bitte!, (das ist) nicht der Rede wert!; (Antwort auf Bitte um Entschuldigung:) macht nichts!, ist schon gut!:

I'm so sorry to have troubled you. — Don't mention it!
Entschuldige bitte, wenn ich dich gestört habe. — Macht nichts.

MIGHT
— **with might and main**
   mit aller Kraft (od. Gewalt), aus Leibeskräften:
   We tried with might and main to break open the door.
   Wir versuchten mit aller Kraft, die Tür aufzubrechen.

MILL
— **to go** od. **be put (to put s.o.) through the mill**
   eine harte Schule durchmachen, schwer ,,hergenommen''
   werden (j-n schwer ,,hernehmen''):
   The new teacher put the pupils through the mill.
   Der neue Lehrer nahm die Schüler tüchtig her.

MINCE
— **not to mince matters** (od. **one's words**)
   es ohne Umschweife sagen, kein Blatt vor den Mund nehmen:
   I told him I wasn't satisfied, and I didn't mince matters.
   Ich war nicht zufrieden und sagte ihm das ohne Umschweife.

MIND
— **to have a (good) mind to do s.th.**
   (große) Lust haben, etw. zu tun:
   I had a good mind to send back the letter.
   Ich hätte den Brief am liebsten zurückgeschickt.

— **to be out of one's (right) mind**
   verrückt (geworden) sein, von Sinnen sein, den Verstand verloren haben:
   *You must have been out of your right mind when you paid £80 for
   that dress!*
   Du mußt verrückt gewesen sein, 80 Pfund für das Kleid zu bezahlen!

MISS
— **to give s.th. a miss**
    1. etw. auslassen, auf etw. verzichten:
I shall give this dance a miss.
Ich werde diesen Tanz auslassen.
    2. die Finger von etw. lassen:
He had thought of investing money in that firm but after careful investigation he gave it a miss.
Er hatte daran gedacht, Geld in diese Firma zu investieren, aber nach einer gründlichen Prüfung ließ er die Finger davon.

— **to miss the boat** (od. **bus**) [sl.]
    den Anschluß (od. seine Chance) verpassen, zu spät kommen:
Make up your mind soon, or you'll miss the boat.
Entschließe dich schnell, sonst „ist der Zug weg".

MISTAKE
— **. . ., and no mistake!**
    . . ., worauf du dich verlassen kannst!; . . ., das sag ich dir!:
We'll have rain in the evening, and no mistake!
Heute abend gibt es Regen, verlaß dich drauf!

MUM
— **mum's the word!**
    Mund halten!, kein Wort darüber!:
Now you know what happened, but — mum's the word!
Jetzt weißt du, was geschehen ist, aber — Mund halten!

N

NAIL
— **to nail s.o. down to s.th.**
    j-n auf etw. festnageln:
We must nail him down to what he told us before.
Wir müssen ihn auf das festnageln, was er uns vorher sagte.

NARROW

— **to have a narrow escape** (od. **squeak** [colloq.])
  mit knapper Not (od. gerade noch) davonkommen:
  The old woman had a narrow escape from being run over by a car.
  Die alte Frau wäre um Haaresbreite von einem Auto überfahren
  worden.

NEAR

— **a near thing**
  etw., was fast „schiefgegangen" wäre:
  He caught his bus, but it was a near thing.
  Er erwischte seinen Bus, aber nur mit knapper Not.
  That was a near thing!
  Das hätte ins Auge gehen können!

NECK

— **it's neck or nothing!**
  es geht ums Ganze!:
  Now it's neck or nothing!
  Jetzt geht's um die Wurst!

NEITHER

— **that's neither here nor there**
  das spielt keine Rolle, das fällt (überhaupt) nicht ins Gewicht,
  das tut nichts zur Sache:
  *A difference of five pounds is neither here nor there when we are
  dealing in thousands.*
  Ein Unterschied von fünf Pfund fällt (überhaupt) nicht ins Gewicht, wo es bei unseren Geschäften um Tausende geht.

NERVE

— **to have the nerve to do s.th.** [colloq.]
  die Kühnheit (od. Frechheit) besitzen, etw. zu tun:
  That fellow has the nerve to show up again!
  Der Kerl (da) besitzt die Frechheit, hier noch einmal aufzutauchen!

You've got a nerve to come here dressed like this!

— **he's got a nerve!** [colloq.]
  der hat vielleicht Nerven!:
You've got a nerve to come here dressed like this!
Du hast vielleicht Nerven, in einem solchen Aufzug hierher zu kommen!

NEVER
— **well, I never!**
  nein, so was!, kaum zu glauben!, hat man Worte!:
Do you know where I found the bracelet I lost yesterday? In my shopping bag. — Well, I never!
Kannst du dir vorstellen, wo ich das Armband wiedergefunden habe, das ich gestern verlor? In meiner Einkaufstasche. — Hat man Worte!

NICK
— **in the nick of time**
  gerade (noch) rechtzeitig, im letzten (od. rechten) Augenblick:

His help came in the nick of time.
Seine Hilfe kam gerade (noch) im rechten Augenblick.

NIP
— **to nip s.th. in the bud**
   etw. im Keim ersticken:
The revolution was nipped in the bud.
Die Revolution wurde im Keim erstickt.

NOSE
— **to nose about (for s.th.)**
   (nach etw.) schnüffeln:
She nosed about in his desk for the letter.
Sie schnüffelte in seinem Schreibtisch nach dem Brief.

— **to nose into s.th.**
   seine Nase in etw. stecken:
Don't nose into other people's affairs!
Steck deine Nase nicht in anderer Leute Angelegenheiten!

NOTHING
— **nothing to write home about**
   nichts Besonderes (od. Berühmtes):
*What do you think of his pictures? — Not so bad, but nothing to
write home about.*
Was hältst du von seinen Bildern? — Gar nicht schlecht, aber
nichts Besonderes.

— **nothing doing!** [colloq.]
   nichts da!, (da ist) nichts zu machen!, kommt nicht in Frage!,
   ausgeschlossen!:
*Can I watch the football match on TV this evening, Dad? — Noth-
ing doing! It's on too late.*
Kann ich heute abend das Fußballspiel im Fernsehen anschauen,
Vati? — Ausgeschlossen! Es wird zu spät übertragen.

— **nothing short of**
   absolut, geradezu:

His new play was nothing short of a disaster.
Sein neues Stück war ein absolutes Fiasko.

NOW
— **now and again, (every) now and then**
dann und wann, ab und zu, hin und wieder, von Zeit zu Zeit:
Now and then she burst into tears.
Von Zeit zu Zeit brach sie in Tränen aus.

NUMBER ONE
— **to look after** (od. **to take care of**) **number one** [colloq.]
auf sein eigenes Wohl (od. sein eigenes Ich) bedacht sein:
He's always careful to look after number one.
Sein eigenes Ich geht ihm immer vor.

NUT
— **to be off** (**go off**, Br. **do**) **one's nut** [sl.]
verrückt sein (werden):
He thought he'd go off his nut when the child wouldn't stop crying.
Er glaubte, er würde wahnsinnig, als das Kind nicht aufhörte zu schreien.

— **to be nuts (about)**
verrückt sein (nach):
She thought he was nuts, because he always giggled in such a funny way.
Sie hielt ihn für verrückt, weil er immer so komisch kicherte.
The girls were nuts about the boy next door.
Die Mädchen waren wie verrückt (od. ganz wild) hinter dem Nachbarjungen her.

NUTSHELL
— **in a nutshell**
ganz kurz (zusammengefaßt), mit einem Wort, mit wenigen Worten:
He put the whole plan in a nutshell.
Er faßte den ganzen Plan mit wenigen Worten zusammen.

What's the odds as long as the child is happy!

O

ODD

— **odd man out**

Außenseiter; (das) fünfte Rad am Wagen:

He will always be (the) odd man out.

Er wird immer ein Außenseiter bleiben.

ODDS

— **odds and ends**

1. Krimskrams, allerlei Kleinigkeiten, Überbleibsel:

She keeps all sorts of odds and ends in her workbasket.

Sie hebt allen möglichen Krimskrams in ihrem Nähkörbchen auf.

2. allerhand, allerlei:

I have some odds and ends to do tomorrow morning.

Ich habe morgen früh noch allerlei zu tun.

— **the odds are that**
   es ist wahrscheinlich, daß; wahrscheinlich:
The odds are that she will come just before lunch.
Wahrscheinlich kommt sie gerade vor dem Mittagessen.

— **what's the odds?**
   was macht es schon aus?, was tut's schon?:
What's the odds as long as the child is happy!
Was tut's schon? Wenn das Kind nur glücklich ist!

— **it's (od. it makes) no odds**
   es spielt keine Rolle:
It makes no odds what you do, you'll always be the loser.
Es spielt keine Rolle, was du tust, am Ende bist du immer der Verlierer.

— **to be at odds with s.o.**
   mit j-m uneins (od. zerstritten) sein:
The two sons are at odds with their father.
Die beiden Söhne haben sich mit ihrem Vater zerstritten.

— **the odds are against s.o.**
   j-d ist im Nachteil (od. im Hintertreffen):
He had been in training for only two days, so the odds were against him.
Er war erst zwei Tage im Training, dadurch war er im Nachteil.

OFF
— **on the off chance**
   auf die entfernte Möglichkeit hin, in der (leisen) Hoffnung:
I went to his office on the off chance of seeing him there before he went to England.
Ich ging in sein Büro, in der Hoffnung, ihn dort (noch) zu sehen, bevor er nach England fuhr.

— **off day**
   Pechtag, schlechter Tag:
We all have our off days in life.
Wir alle haben unsere schlechten Tage im Leben.

OLD
— **any old thing**
   irgend etwas:
What are you going to wear tonight? — Oh, any old thing will do.
Was ziehst du heute abend an? — Ach, irgendwas, es spielt gar
keine Rolle.

ON
— **on and off, off and on**
   von Zeit zu Zeit, hin und wieder, ab und zu:
She visited the old lady on and off.
Sie besuchte die alte Dame hin und wieder.

— **what's on?**
   was gibt es?, was wird (im Theater usw.) gespielt?:
What's on at the opera tonight?
Was wird heute abend in der Oper gespielt?

— **to have s.th. on**
   etw. vorhaben:
Have you anything on tomorrow?
Hast du morgen etwas vor?

ONCE
— **once in a while**
   ab und zu, hin und wieder:
They go to the theatre once in a while.
Ab und zu einmal gehen sie ins Theater.

— **once in a blue moon** → **blue.**

ONE
— **one and all**
   (ein) jeder:
The show was greatly enjoyed by one and all.
Die Vorstellung gefiel allen.

— **one of these days**
   demnächst einmal, bei Gelegenheit:

You must show me the photos one of these days.
Du mußt mir demnächst einmal die Fotos zeigen.

— I for one
ich zum Beispiel, ich meinerseits:
I for one don't like this idea.
Mir zum Beispiel ist dieser Gedanke nicht sympathisch.

— to be at one with s.o.
mit j-m übereinstimmen, mit j-m einig (od. einer Meinung) sein:
We are at one with you on these points.
In diesen Punkten stimmen wir mit euch überein.

— to be one up on s.o.
j-m um eine Nasenlänge voraus sein:
They always want to be one up on their competitors.
Sie wollen der Konkurrenz immer um eine Nasenlänge voraus sein.

OPPOSITE
— opposite number
(Amts)Kollege, auch allgemein: Gegenstück:
The Secretary of State and his opposite number, the Foreign Secretary, met in Paris.
Der Außenminister (der USA) und sein britischer Amtskollege trafen sich in Paris.

OTHER
— the other day
neulich:
The other day I saw Harry driving down (the) High Street in his new car.
Neulich sah ich Harry in seinem neuen Wagen die Hauptstraße hinunterfahren.

— every other . . .
jede(-r, -s) zweite . . .:
It rained every other day during our holidays.
Jeden zweiten Tag regnete es während unseres Urlaubs.

OUT

— to be (od. have fallen) out with s.o.
sich mit j-m zerstritten (od. „verkracht") haben:
He had fallen out with his friend over a girl.
Er hatte sich wegen eines Mädchens mit seinem Freund verkracht.

— to have it out with s.o. → have.

— to be out and about
wieder auf den Beinen sein:
She has been ill for three weeks, but now she is out and about again.
Sie war drei Wochen lang krank, aber jetzt ist sie wieder auf den Beinen.

— out and out, out-and-out
durch und durch, ganz und gar, Erz. . .:
He is an out-and-out scoundrel. Don't believe him.
Er ist ein ausgemachter Gauner. Glaub ihm nicht!

— to be (far) out
sich (gewaltig) irren:
You're far out in your calculations.
Du liegst mit deinen Berechnungen völlig daneben.

OVER

— (all) over and done with
aus und vorbei, endgültig (od. ein für allemal) vorbei:
Their marriage is finished. It's all over and done with.
Ihre Ehe ist gescheitert. Es ist alles aus (und vorbei).

P

— to mind one's P's and Q's
darauf achten, daß man nicht aneckt (od. daß man sich richtig benimmt):
Young people don't like it if they have to mind their P's and Q's so much.
Junge Leute mögen es nicht, wenn sie so sehr auf gutes Benehmen achten müssen.

When the boss found out his criminal record, he sent him packing.

PACK
— **to pack s.o. off, to send s.o. packing**
   j-n fortjagen, j-n hinauswerfen:
When the boss found out about his criminal record he sent him packing.
Als der Chef von seinem Vorstrafenregister erfuhr, warf er ihn (kurzerhand) hinaus.

PADDLE
— **to paddle one's own canoe**
   auf eigenen Füßen stehen:
She could expect no more help from her parents and had to paddle her own canoe.
Sie konnte von ihren Eltern keine Hilfe mehr erwarten und mußte sich aus eigener Kraft durchs Leben schlagen.

138

PAIN
— **to be (to give s.o.) a pain in the neck** [sl.]
   einem auf die Nerven gehen, eine Nervensäge sein (j-m auf die Nerven gehen):
I don't want to see this fellow. He's such a pain in the neck!
Ich will diesen Kerl nicht sehen. Er ist eine solche Nervensäge.
This nosy brat gives me a pain in the neck.
Der neugierige Fratz da geht mir auf die Nerven.

PAINT
— **to paint the town red** [colloq.]
   ,,auf die Pauke hauen'', ,,die Gegend unsicher machen'':
They made a night of it and painted the town red.
Sie feierten die ganze Nacht durch und hauten kräftig auf die Pauke.

PALE
— **beyond** (od. **outside) the pale**
   außerhalb des Schicklichen (od. Erlaubten):
This remark put him beyond the pale.
Mit dieser Bemerkung überschritt er die Grenze des Schicklichen.

PALM
— **to grease** (od. **oil) s.o.'s palm**
   j-n bestechen, j-n ,,schmieren'':
If you grease his palm a little, the reception clerk will get tickets for you.
Wenn du ihn etwas schmierst, verschafft dir der Empfangschef Eintrittskarten.

— **to have an itching palm**
   aufs Geld aus sein; sich bestechen (od. ,,schmieren'') lassen:
The attendant has an itching palm. Slip him a pound or two and you'll be all right.
Den Aufseher kann man schmieren. Mit ein paar Pfundnoten erreicht man sein Ziel.

The attendant has an itching palm. Slip him a pound or two and you'll be all right.

— **to palm s.th. off (on s.o.)**
   (j-m) etw. „andrehen":
In this shop they often palm second-rate goods off on the customers.
In diesem Laden dreht man den Kunden oft zweitrangige Ware an.

PART
— **to be part and parcel of s.th.**
   einen wesentlichen Bestandteil von etw. bilden, wesentlich zu
   etw. gehören:
The outbuildings are part and parcel of the farm.
Die Nebengebäude sind ein wesentlicher Bestandteil des Bauern-
hofs.

PAT
— **to stand pat**
   nicht von seiner Meinung abgehen, (stur) auf seiner Meinung
   beharren, sich nicht beirren lassen:

140

Once he has expressed his opinion he'll stand pat on it, whatever happens.
Wenn er einmal seine Meinung geäußert hat, so läßt er sich davon nicht abbringen, ganz egal, was passiert.

PATCH
— **not to be a patch on s.th. (s.o.)**
   nicht mit etw. (j-m) zu vergleichen sein, sich nicht mit etw. (j-m) messen können:
The author's last novel isn't a patch on his former work.
Der letzte Roman des Schriftstellers kann sich nicht mit dessen früherem Werk messen.

— **to hit** (od. **strike, be going through) a bad patch**
   eine Pechsträhne haben:
The football team is going through a bad patch this season.
Die Fußballmannschaft hat in dieser Spielzeit eine Pechsträhne.

PAY
— **to pay s.o. out for s.th.**
   j-m etw. heimzahlen:
He played a bad trick on us, but we paid him out for it.
Er spielte uns einen üblen Streich, aber wir haben es ihm heimgezahlt.

— **to pay one's way**
   sich selbst tragen, ohne Verlust arbeiten:
I doubt if this shop will ever pay its way.
Ich bezweifle, ob das Geschäft sich je selbst tragen kann.

— **to pay the piper**
   die Zeche (od. das Ganze) bezahlen, „für den Spaß aufkommen":
They pay the piper and they call the tune.
Sie sind die Geldgeber und haben zu bestimmen.

— **to pay through the nose**
   „tüchtig bluten müssen", „draufzahlen", kräftig zu zahlen haben:

They pay the piper and they call the tune.

He charged you £20 for this chair! You certainly paid through the nose for it.
Er hat 20 Pfund von dir für den Stuhl verlangt! Da hast du aber ganz schön draufgezahlt!

PEA
— **to be as like as two peas (in a pod)**
   sich gleichen wie ein Ei dem anderen:
These twin sisters are as like as two peas in a pod.
Diese beiden Zwillingsschwestern gleichen einander wie ein Ei dem anderen.

PENNY
— **a penny for your thoughts!**
   jetzt gäbe ich was darum, wenn ich wüßte, was du gerade denkst!:

Yuu're looking so pensive. A penny for your thoughts!
Du siehst so nachdenklich aus. Jetzt gäbe ich was darum, wenn
ich wüßte, was du gerade denkst!

— **in for a penny, in for a pound**
   wer A sagt, muß auch B sagen!:
It's no use flinching now that things are getting to a more difficult
stage. In for a penny, in for a pound!
Es hat doch keinen Sinn, jetzt, wo die Dinge etwas schwieriger
werden, einen Rückzieher zu machen. Wer A sagt, muß auch B
sagen!

— **to spend a penny** [colloq.]
   auf die Toilette gehen, ,,verschwinden'':
Wait a moment for me! I'm going to spend a penny.
Wart einen Moment auf mich! Ich muß mal verschwinden!

PICK
— **to have a bone to pick with s.o.** → **bone.**
— **to pick holes in s.th.**
   an etw. herumkritteln, etw. ,,zerpflücken'':
I knew he would try to pick holes in my work.
Ich wußte, daß er versuchen würde, an meiner Arbeit herumzu-
kritteln.

— **to pick a quarrel (with s.o.)**
   (mit j-m) Streit anfangen, einen Streit (mit j-m) vom Zaun brechen:
Be careful of that fellow! He'll go out of his way to pick a quarrel
with you.
Nimm dich vor dem Kerl in acht! Er wird alles versuchen, mit dir
Streit anzufangen.

— **to pick and choose**
   (besonders) wählerisch sein, sorgfältig auswählen:
I had no time to pick and choose among the books which had been
left.
Ich hatte keine Zeit, erst lange unter den übriggebliebenen Bü-
chern herumzusuchen.

The critics picked her first novel to pieces.

— to pick s.o.'s brains
j-m ,,die Würmer aus der Nase ziehen'', j-n tüchtig ausfragen
(od. ,,ausquetschen''):

They were friendly to him just long enough to pick his brains.
Sie waren so lange freundlich zu ihm, bis sie ihm die Würmer aus
der Nase gezogen hatten.

— to pick s.o. (s.th.) to pieces
über j-n (etw.) herziehen, j-n (etw.) ,,in der Luft zerreißen'', an
j-m (etw.) herumkritisieren:

The critics picked her first novel to pieces.
Die Kritiker verrissen ihr erstes Stück völlig.

PIECE

— to give s.o. a piece of one's mind
j-m gründlich die Meinung sagen, j-m ,,aufs Dach steigen'':

*You must give Harold a piece of your mind. He's beginning to be-
come a nuisance.*
Du mußt Harold einmal gründlich aufs Dach steigen. Er wird allmählich eine Landplage.

— **to be (all) of a piece with s.th.**

(genau) zu etw. passen, (ganz) im Einklang mit etw. stehen:

This behaviour is all of a piece with his character.

Dieses Benehmen paßt ganz zu seinem (sonstigen) Charakter.

PIG

— **to buy a pig in a poke**

die Katze im Sack kaufen:

Make sure this house is really what you want! Don't buy a pig in a poke!

Sieh dir genau an, ob das Haus auch das ist, was du suchst! Kaufe nicht die Katze im Sack!

— **to pig it** [bes. Brit.]

(wie die Schweine od. armselig) hausen, sein Dasein fristen:

Can you understand why they have to pig it in one sordid room?

Kannst du begreifen, warum sie in einem einzigen armseligen Raum hausen müssen?

PILE

— **to pile it on** [colloq.]

(maßlos, mächtig) übertreiben:

I don't believe half of what he says. He likes to pile it on.

Ich glaube nicht die Hälfte von dem, was er sagt. Er liebt es, maßlos zu übertreiben.

— **to make a** (od. **one's**) **pile**

einen Haufen Geld verdienen, reich werden:

He made his pile as a caterer for the well-to-do.

Er kam dadurch zu Reichtum, daß er die Partys für die High-Society ausrichtete.

PIN

— **to pin s.o. down to s.th.**

j-n auf etw. festnageln (od. festlegen):

The electrician promised me to come on Monday, but I couldn't pin him down to an exact time.

Der Elektriker versprach mir, am Montag zu kommen, aber ich konnte ihn nicht auf eine bestimmte Zeit festnageln.

PLACE
— **to be out of place**
   fehl am Platz sein, deplaziert sein; unangebracht sein, nicht
   passen:
*That low-cut dress of yours may look smart but it would be com-
pletely out of place at a serious interview.*
Das tief ausgeschnittene Kleid von dir mag ja sehr schick sein,
aber für ein ernsthaftes Interview ist es völlig unangebracht.

PLAY
— **to play safe**
   kein Risiko eingehen, auf Nummer Sicher gehen:
We have to play safe and refuse to take on any new commitments.
Wir können kein Risiko eingehen und lehnen es ab, neue Verpflichtungen zu übernehmen.

— **to play it cool** [colloq.]
   die Situation mit Ruhe (od. souverän) meistern, die Ruhe selber
   bleiben:
He played it cool when he was obliged to fork up £1000.
Er blieb die Ruhe selber, als er gezwungen war, 1000 Pfund her-
auszurücken.

— **to play fast and loose with s.o.**
   mit j-m Schindluder treiben, mit j-m spielen:
It wouldn't be fair to play fast and loose with her affections.
Es wäre von dir nicht fair, mit ihrer Liebe zu spielen.

POINT
— **to stretch a point**
   ein Auge zudrücken, eine Ausnahme machen; es nicht zu
   genau nehmen:
I won't stretch a point in her favour.
Ihr zuliebe mache ich keine Ausnahme.

POKE
— **to poke fun at s.o. (s.th.)**
   sich über j-n (etw.) lustig machen:

The children poked fun at the girl because she wore strong glasses.
Die Kinder machten sich über das Mädchen lustig, weil es eine starke Brille trug.

POP

— **to pop the question** [sl.]
   (einer Frau) einen Heiratsantrag machen:
Last night he popped the question and was accepted.
Gestern abend machte er ihr einen Heiratsantrag, und sie sagte ja.

POT

— **to take pot luck**
   mit dem vorliebnehmen, was (zu essen) vorhanden ist:
If you call on us without warning you'll have to take pot luck.
Wenn ihr uns unangemeldet besucht, müßt ihr mit dem vorliebnehmen, was gerade auf den Tisch kommt.

— **to go to pot**
   „auf den Hund kommen", zugrunde gehen:
His business had gone to pot while he was ill.
Sein Geschäft war während seiner Krankheit auf den Hund gekommen.

— **to keep the pot boiling**
   1. sein Leben fristen:
Apart from the small amount she earns she inherited a little sum, just enough to keep the pot boiling for a time.
Außer dem bißchen, was sie verdient, hat sie einen kleinen Betrag geerbt — gerade genug, um einige Zeit davon leben zu können.
   2. die Sache in Gang (od. Schwung) halten:
If you organize games for children at a party you must be sure to keep the pot boiling.
Wenn Sie auf einer Kinderparty Spiele veranstalten, müssen Sie unbedingt die Sache in Schwung halten.

POUR

— **to pour oil on troubled waters**
Öl auf die Wogen gießen, die Wogen glätten, für Ruhe (od. Frieden) sorgen:
While the two men were shouting at each other, she was doing her best to pour oil on the troubled waters.
Während die zwei Männer einander anschrien, tat sie, was sie konnte, um die Wogen zu glätten.

POWER

— **the powers that be** [oft humor.]
die, die zu bestimmen (od. etwas zu sagen) haben; „die da oben"; die Mächtigen:
If you want an invitation you must ask the powers that be.
Wenn du eine Einladung haben willst, mußt du die da oben fragen.
No matter what we say it's the powers that be who will decide.
Was wir auch sagen, die Entscheidungen werden von denen da oben getroffen.

PRESS

— **to press home an argument**
ein Argument unterstreichen, einem Argument Nachdruck verleihen:
The speaker pressed home his argument by some effective illustrations from his own experience.
Der Redner unterstrich seine Ausführungen durch einige wirkungsvolle Beispiele aus seiner eigenen Erfahrung.

PRICK

— **to prick up one's ears**
die Ohren spitzen, lauschen:
She pricked up her ears when they mentioned the name of her former husband.

She pricked up her ears when they mentioned the name of her former husband.

Sie horchte auf, als man den Namen ihres früheren Mannes erwähnte.

PULL

— **to pull s.o.'s leg**
   j-n zum besten (od. zum Narren) halten, j-n ,,verkohlen'':
You mustn't take what he said too seriously. He was pulling your leg.
Du darfst nicht zu ernst nehmen, was er sagte. Er hat dich nur verkohlt.

— **to pull a fast one over** (od. **on**) **s.o.**
   j-n ,,reinlegen'', j-n hintergehen:
He pulled a fast one on his best friend and lost his friendship by it.
Er hat seinen besten Freund reingelegt und damit dessen Freundschaft verloren.

— **to pull one's weight**
   sein(en) Teil leisten, das Seinige beitragen, sich ernsthaft einsetzen (od. anstrengen):
*Paul has not attended the last three meetings.I don't think he's
really pulling his weight.*
Paul fehlt jetzt schon in der dritten Sitzung. Ich glaube, daß er sich
nicht wirklich ernsthaft einsetzt.

— **to pull the strings**
   die Fäden in der Hand halten:
*Officially he retired last year but in actual fact he is still pulling the
strings in that insurance company.*
Offiziell hat er sich letztes Jahr zur Ruhe gesetzt, aber tatsächlich
hält er immer noch die Fäden jener Versicherungsgesellschaft in
der Hand.

— **to pull strings** (od. **wires**)
   seine Beziehungen spielen lassen:
We won't get seats for the concert without pulling strings.
Wir werden keine Plätze für das Konzert bekommen, wenn wir
nicht unsere Beziehungen spielen lassen.

— **to pull the wool over s.o.'s eyes**
   j-n hinters Licht führen:
*Don't hope to pull the wool over my eyes; I know quite well what
you're entitled to charge for an old car like that!*
Glaube nicht, daß du mich hinters Licht führen kannst! Ich weiß
ganz genau, was du für so ein altes Auto verlangen kannst!

PUT
— **to put a spoke in s.o.'s wheel**
   j-m einen Knüppel zwischen die Beine werfen, j-m Hindernisse
   in den Weg legen:
*He was getting on well in business, but then a rival establishment
opened, and that put a spoke in his wheel.*
Sein Geschäft ging gut, aber dann machte ein Konkurrenzunter-
nehmen auf, und das war ein großes Hindernis für ihn.

— **to put in an appearance**
   erscheinen, aufkreuzen:

We are glad you were able to put in an appearance at our meeting, even though it was only for half an hour.
Wir freuen uns, daß du es möglich machen konntest, zu unserem Treffen zu erscheinen, auch wenn es nur für eine halbe Stunde war.

— **to put one's foot down → foot.**

— **to put one's best foot forward → foot.**

— **to put one's foot in it → foot.**

— **to put the lid on s.th.**
   einer Sache „die Krone aufsetzen'':
Did he really say that he expects me to apologize to him? That puts the lid on it!
Hat er wirklich gesagt, daß er eine Entschuldigung von mir erwartet? Das schlägt dem Faß den Boden aus!

— **to put the screw(s) on s.o. → screw.**

— **to put one's shoulder to the wheel**
   sich mächtig (od. tüchtig) ins Zeug legen, sich anstrengen:
You mustn't always hope that others will help you. Make up your mind and put your shoulder to the wheel.
Du darfst nicht immer hoffen, daß andere dir helfen. Gib dir einen Ruck und streng dich selber an!

— **to put s.o. (s.th.) through his (its) paces**
   j-n auf Herz und Nieren prüfen (etw. einer strengen Prüfung unterziehen):
The producer wanted to put the new dancers through their paces.
Der Regisseur wollte die neuen Tänzer auf ihr Können prüfen.

— **put that in your pipe and smoke it!**
   merk dir das!, laß dir das gesagt sein!, das sag ich dir!:
I'll never come back. Put that in your pipe and smoke it!
Ich werde nie mehr zurückkommen, das sag' ich dir!

— **not to put it past s.o.**
   es j-m zutrauen:

You may say she's honest, but I wouldn't put it past her to have stolen the money.
Du kannst mir sagen, daß sie ehrlich ist, aber ich traue es ihr zu, daß sie das Geld gestohlen hat.

— to put s.o. wise to s.th. → wise.

Q

QUEER
— to be (to put s.o.) in Queer street [Br.sl.]
   in (Zahlungs)Schwierigkeiten od. Schwulitäten stecken (j-n in [Zahlungs]Schwierigkeiten od. Schwulitäten bringen):
Their financial transactions will put the company in Queer street one of these days.
Ihre finanziellen Transaktionen werden die Firma demnächst in (Zahlungs)Schwierigkeiten bringen.

QUICK
— a quick one
   ein rascher Drink:
There's just time enough for us to have a quick one.
Wir haben gerade Zeit genug, einen Kleinen zu trinken.

QUIET
— on the quiet, on the qt ['kju:'ti:] [sl.]
   klammheimlich; heimlich, still und leise:
More women are given to drink on the quiet than you might think.
Mehr Frauen als man glauben möchte trinken heimlich.

QUITE
— quite the thing → thing.

R

RACK
— to go to rack and ruin
   völlig zugrunde gehen (od. kaputtgehen, herunterkommen):

She has gone completely off the rails since she started to live on her own.

Their house has gone to rack and ruin.
Ihr Haus ist völlig heruntergekommen.

RAIL
— to go off the rails
  1. durcheinanderkommen, aus dem Gleis geraten:
She has gone completely off the rails since she started to live on her own.
Sie ist vollkommen aus dem Gleis geraten, seit sie ihr Leben selbst in die Hand genommen hat.
  2. [colloq.] verrückt werden, überschnappen:
Now he seems definitely to have gone off the rails.
Jetzt scheint er endgültig übergeschnappt zu sein.

RAIN
— (come) rain or shine
  auf jeden Fall, was auch (immer) geschieht:

The party will be held, rain or shine.
Die Party findet auf jeden Fall statt.

RAINY

— **to save** (od. **provide, put away, keep) s.th. for a rainy day**
etw. für schlechte Zeiten aufheben (od. zurücklegen):
You shouldn't forget to save some money for a rainy day.
Du solltest nicht vergessen, dir einen Notgroschen zurückzulegen.

RAISE

— **to raise hell** (od. **the devil, the roof, Cain)**
einen Mordskrach schlagen, einen „Riesenwirbel machen":
Your father will raise hell over the loss of that cheque book.
Dein Vater wird einen Mordskrach wegen des verlorenen Scheckbuchs schlagen.

RAP

— **I don't care** (od. **give) a rap**
das ist mir völlig egal (od. Wurscht), das macht mir überhaupt nichts aus:
I don't care a rap if I am late. She's kept me waiting often enough.
Es ist mir völlig egal, wenn ich zu spät komme. Sie hat mich (schon) oft genug warten lassen.

RATE

— **at any rate**
1. auf jeden Fall, jedenfalls:
At any rate we rely on your being here at eight o'clock.
Wir verlassen uns jedenfalls darauf, daß du um 8 Uhr hier bist.
2. zumindest, jedenfalls:
The minister at any rate is not to blame.
Dem Minister ist jedenfalls keine Schuld zu geben.

RAW
— **to give s.o. a raw deal**
    j-n unfair (od. gemein, schlecht) behandeln, j-m übel mitspie-
    len:
The old woman was given a raw deal. She was left only her
cottage.
Der alten Frau wurde übel mitgespielt. Man ließ ihr nur ihr Häuschen.

RECORD
— **off the record**
    inoffiziell, nicht für die Öffentlichkeit (od. Allgemeinheit) be-
    stimmt:
Some of what the chancellor said at his press conference was off
the record.
Einiges, was der Kanzler auf seiner Pressekonferenz sagte, war
nicht für die Öffentlichkeit bestimmt.

RED
— **to be in (to get out of) the red**
    in den roten Zahlen stehen (aus den roten Zahlen herauskom-
    men):
How will they ever get out of the red with such mismanagement?
Wie sollen sie bei so einer Mißwirtschaft jemals aus den roten
Zahlen herauskommen?

RED-HANDED
— **to catch s.o. red-handed**
    j-n auf frischer Tat ertappen, j-n erwischen:
We caught the boy red-handed stealing sweets from the counter.
Wir erwischten den Jungen, wie er Süßigkeiten vom Ladentisch
stahl.

REEL
— **(straight) off the reel**
    in einem Zug(e), hintereinander weg; auf der Stelle, sofort:

He gave me the names I wanted, straight off the reel.
Er nannte mir hintereinander weg die gewünschten Namen.

REIN
— **to give free rein to s.o. (s.th.)**
  j-m (e-r Sache) freien Lauf lassen:
She gave free rein to her imagination.
Sie ließ ihrer Phantasie freien Lauf.

— **to keep a tight rein on s.o.**
  j-n (fest) an die Kandare nehmen, j-n sehr streng halten:
His parents kept a tight rein on him in his youth.
Seine Eltern hielten ihn in seiner Jugend sehr streng.

REST
— **to set (od. put) s.o.'s (one's) mind at rest**
  j-n (sich) beruhigen:
What you told me about our financial situation has set my mind at rest.
Was du mir über unsere finanzielle Lage sagtest, hat mich beruhigt.

RHYME
— **be without rhyme or reason, have neither rhyme nor reason**
  ohne Sinn und Verstand (od. ohne jede Logik, unsinnig) sein:
The new syllabuses are without rhyme or reason.
Die neuen Lehrpläne entbehren jeglicher Logik.

RIDE
— **to ride for a fall**
  das Schicksal herausfordern, Kopf und Kragen riskieren, waghalsig sein:
He speculated so recklessly that everyone thought he was riding for a fall.
Er spekulierte so leichtsinnig, daß jeder dachte, er würde sich (dabei) ins Verderben stürzen.

— **to take s.o. for a ride** [colloq.]

   j-n reinlegen:

The jeweller took you for a ride when he sold you this watch.

Der Juwelier hat dich reingelegt, als er dir diese Uhr verkaufte.

RIGHT

— **as right as rain** (od. **a trivet**) [colloq.]

   ganz richtig, völlig in Ordnung:

I ran a slight temperature yesterday, but I'm as right as rain this morning.

Ich hatte gestern leichtes Fieber, aber heute geht es mir wieder bestens.

RING

— **to run** (od. **make**) **rings (a)round s.o.**

   j-n „in die Tasche stecken", j-m weit überlegen (od. voraus) sein:

You can run rings around me at skating.

Du läufst viel besser Schlittschuh als ich.

— **to ring a bell with s.o.** [colloq.]

   j-m bekannt vorkommen, eine Erinnerung in j-m wachrufen:

The name rings a bell with me. Where have I heard it before?

Der Name kommt mir bekannt vor. Wo habe ich ihn schon gehört?

— **to ring the changes on s.th.**

   etw. in immer neuen Tonarten wiederholen, etw. immer wieder auf neue Art versuchen:

He kept ringing the changes on his excuses but could not convince anybody of his innocence.

Er suchte nach immer neuen Entschuldigungen, konnte jedoch niemanden von seiner Unschuld überzeugen.

RISE

— **to rise to the occasion**

   sich der Lage gewachsen zeigen:

The restaurant rose to the occasion by producing a magnificent dinner for 100 guests.
Das Restaurant zeigte sich der Lage gewachsen und stellte ein großartiges Abendessen für 100 Gäste auf den Tisch.

ROCK
— **on the rocks**
    1. pleite, am Ende:
The firm was on the rocks in a brief space of time.
Die Firma war binnen kurzem pleite.
    2. am Ende, in die Brüche gegangen:
They were happy for a year or two, and then their marriage went on the rocks.
Sie waren ein oder zwei Jahre glücklich, dann ging ihre Ehe in die Brüche.
    3. mit Eiswürfeln:
Waiter, a vermouth on the rocks, please!
Herr Ober, bitte einen Wermut ,,on the rocks''!

ROOT
— **root and branch**
    mit Stumpf und Stiel:
We must put an end to their evil practices, root and branch.
Wir müssen ihrem üblen Treiben ein für allemal ein Ende setzen.

ROUGH
— **to be rough on s.o.**
    hart für j-n sein:
It's rather rough on Walter that his wife has run away with his best friend.
Es ist schon hart für Walter, daß seine Frau mit seinem besten Freund durchgegangen ist.

— **to rough it**
    primitiv leben:

*Camping has become popular because so many people have
grown tired of civilized life and want to rough it for a while.*
Camping ist so beliebt, weil viele Menschen von ihrem zivilisierten
Leben die Nase voll haben und mal eine Zeitlang primitiv leben
möchten.

RUB
— **to rub it in**
  es einem immer wieder unter die Nase reiben (od. „aufs Butterbrot schmieren"), einen immer wieder daran erinnern:
I know I made a mistake, but you needn't rub it in.
Ich weiß, ich habe einen Fehler gemacht, aber du brauchst mir
das nicht immer wieder unter die Nase zu reiben.

— **to rub s.o. (up) the wrong way**
  j-n verärgern (od. verschnupfen):
His tactlessness easily rubs people up the wrong way.
Die Leute stoßen sich leicht an seiner Taktlosigkeit.

— **to rub shoulders with s.o.**
  mit j-m in Kontakt kommen, mit j-m verkehren:
On his travels he rubbed shoulders with all sorts of people.
Auf seinen Reisen lernte er Menschen jeder Art näher kennen.

RULE
— **to rule the roost**
  das Regiment führen, herrschen:
At home it is his wife who rules the roost.
Zu Hause hat sie die Hosen an.

RUN
— **in the long run**
  auf die Dauer:
Crime doesn't pay in the long run.
Verbrechen macht sich auf die Dauer nicht bezahlt.

— **to have the run of s.th.**
  (freien) Zutritt (od. Zugang) zu etw. haben, etw. jederzeit benutzen dürfen:

He has the run of his friend's flat.
Ihm steht die Wohnung seines Freundes jederzeit zur Verfügung.

— **to have a short (long) run**
eine kurze (lange) Laufzeit haben:
"My Fair Lady" was an attractive musical and had a remarkably long run.
„My Fair Lady" war ein zugkräftiges Musical und lief bemerkenswert lange.

— **to run in the family**
in der Familie liegen:
With them aptitude for music runs in the family.
Die Musikalität liegt bei ihnen in der Familie.

— **to run the streets**
sich auf der Straße herumtreiben:
The children had run the streets all afternoon.
Die Kinder hatten sich den ganzen Nachmittag auf der Straße herumgetrieben.

— **to run a temperature**
Fieber haben:
The boy is still running a temperature and should stay in bed.
Der Junge hat noch Fieber und sollte im Bett bleiben.

— **to run out** (od. **short**) **of . . .**
kein(e, -en) . . . mehr haben:
They ran out of coal and had to burn wood.
Die Kohle ging ihnen aus, und sie mußten mit Holz heizen.

— **to run the gauntlet of s.th.**
etw. durchstehen (od. aushalten), unter etw. „Spießruten laufen":
We had to run the gauntlet of their curious glances.
Wir mußten ihren neugierigen Blicken standhalten.

— **to run riot**
1. toben, randalieren:
The crowd ran riot and stormed the entrance to the city hall.
Die Menge tobte und stürmte den Eingang zum Rathaus.
2. wuchern:

160

Dandelions are running riot in our once well-tended lawn.
Löwenzahn wuchert in unserem einst gepflegten Rasen.

— **to run to seed** → **seed.**

— **to run up against s.th.**
  mit etw. konfrontiert werden, auf etw. treffen (od. stoßen):

He ran up against strong opposition with his proposal.
Er stieß mit seinem Vorschlag auf heftigen Widerstand.

— **to run wild**
  1. verwildern:

The parks are neglected and running wild.
Die Parks sind vernachlässigt und verwildern.

  2. außer Kontrolle geraten:

Prices are running wild in many countries.
Die Preise sind in vielen Ländern außer Kontrolle geraten.

Prices are running wild in many countries.

RUT
— **to be in (to get into) a rut**
  sich in ausgefahrenen Geleisen bewegen (in ein ausgefahrenes Geleise geraten):
What I dread is to get into a rut.
Was ich fürchte ist, daß mir die Dinge zur Routine werden.

S

SACK
— **to get (to give s.o.) the sack** [colloq.]
  ,,fliegen'', ,,rausgeschmissen werden'' (j-n ,,rausschmeißen''):
*The employee got (*od. *was given) the sack for petty embezzlements.*
Der Angestellte flog wegen kleiner Unterschlagungen.

SADDLE
— **to saddle s.o. with s.th.**
  j-m etw. aufbürden (od. aufhalsen):
Why should she saddle herself with other people's children?
Warum sollte sie sich anderer Leute Kinder aufhalsen?

SAFE
— **to be on the safe side**
  um ganz sicherzugehen:
She took her umbrella and raincoat to be on the safe side.
Sie nahm Schirm und Regenmantel mit, um ganz sicherzugehen.

— **to play safe** → **play.**

SAIL
— **to sail close to** (od. **near**) **the wind**
  sich hart an der Grenze des Erlaubten (od. am Rande der Legalität) bewegen:
By taking this measure we don't actually offend against the law, but we are sailing very close to the wind.
Mit dieser Maßnahme verstoßen wir nicht direkt gegen das Gesetz, aber wir bewegen uns sehr hart am Rande der Legalität.

SALT
— **with a grain (od. pinch) of salt**
   mit Vorbehalt, cum grano salis:
He's not very trustworthy; so you'd better take what he says with
a grain of salt.
Er ist nicht sehr glaubwürdig; deshalb solltest du alles, was er
sagt, nur mit einem gewissen Vorbehalt glauben.

— **not to be worth one's salt**
   überhaupt nichts taugen (od. wert sein):
The man is going to be dismissed. He's lazy and not worth his salt.
Der Mann wird entlassen. Er ist faul und vollkommen untauglich.

SAVE
— **to save one's (s.o.'s) bacon** [colloq.]
   ungeschoren (od. mit heiler Haut) davonkommen (j-s Retter in
   der Not sein):
I was so late. You've just saved my bacon for me by giving me a
lift.
Ich war so spät dran, da warst du mein Retter in der Not, als du
mich im Auto mitgenommen hast.

— **to save one's skin**
   seine Haut retten:
The enemy broke through at last and every man of the little band
tried to save his own skin.
Der Feind konnte schließlich durchbrechen, und alle Mann des
kleinen Haufens suchten ihre eigene Haut zu retten.

SAY
— **you don't say (so)!**
   was du nicht sagst!, das kann doch nicht wahr sein?, sag bloß!:
She ran away from home when she was only thirteen. — You
don't say!
Sie ist schon mit dreizehn Jahren von zu Hause weggelaufen. —
Was du nicht sagst!

She's a meek little creature who couldn't say boo to a goose.

— **to have s.th. (little, nothing) to say for oneself**
etw. (wenig, nichts) zu seiner Rechtfertigung vorbringen können:
What had the defendant to say for himself?
Womit konnte der Angeklagte sich rechtfertigen?

— **not to be able to say boo to a goose**
ein Hasenfuß sein, sich überhaupt nichts trauen:
She's a meek little creature who couldn't say boo to a goose.
Sie ist ein schüchternes kleines Ding, das sich überhaupt nichts
traut.

— **to say one's piece**
sagen, was man zu sagen hat:
*Everyone said his piece with the result that it was a series of
monologues rather than a lively discussion.*
Jeder sagte, was er zu sagen hatte, mit dem Ergebnis, daß es
mehr eine Aneinanderreihung von Monologen war als eine leb-
hafte Diskussion.

— **to have a (no, not much) say (in s.th.)**
etwas (nichts, nicht viel) (bei etw.) zu sagen haben:

The children didn't have much say in deciding where the family should spend their holidays.
Die Kinder hatten nicht viel Mitspracherecht darüber, wo die Familie ihren Urlaub verbringen sollte.

SCALE
— **to tip** (od. **turn**) **the scales**
    den Ausschlag geben, ausschlaggebend sein:
The arrival of the tanks turned the scales in favour of our army.
Bei Ankunft der Panzer wendete sich das Blatt zugunsten unserer Armee.

SCARCE
— **to make oneself scarce**
    sich dünn(e) (od. aus dem Staub) machen, verschwinden, „verduften":
His mother came, so I thought I'd better make myself scarce.
Seine Mutter kam, da machte ich mich lieber aus dem Staub.

SCORE
— **to settle** (od. **pay off, wipe off) old scores**
    eine alte Rechnung begleichen, Abrechnung halten:
I've got him here all to myself. Now is the time to pay off old scores.
Endlich hab ich ihn mal ganz für mich allein. Jetzt ist es an der Zeit, Abrechnung zu halten.

— **on that score**
    in dieser Hinsicht, deshalb, deswegen:
I know he won't come. Don't be worried on that score!
Ich weiß, daß er nicht kommt. Mach dir deswegen keine Sorgen!

SCRAPE
— **to get into a scrape**
    in die Patsche (od. in Schwulitäten) geraten:
Bob told me he was always getting into scrapes at his office.
Bob erzählte mir, daß er im Büro ständig Schwierigkeiten hätte.

SCRATCH

— to start from scratch
    ganz von vorn (od. mit nichts) anfangen:
After the war most of us had to start from scratch.
Nach dem Krieg mußten die meisten von uns wieder ganz von
vorn anfangen.

— to be (od. come) up to scratch
    den Anforderungen entsprechen, auf der Höhe sein:
Will you manage to be up to scratch for the exam?
Wirst du es schaffen, den Anforderungen der Prüfung zu genü-
gen?

SCREW

— to put the screw(s) on s.o.
    j-n unter Druck setzen:
*If he doesn't repay the money voluntarily, I shall have to put the
screws on him.*
Wenn er das Geld nicht freiwillig zurückzahlt, werde ich ihn unter
Druck setzen müssen.

SEA

— to be (all) at sea
    völlig ratlos (od. ,,aufgeschmissen'') sein, nicht weiterwissen;
    ,,schwimmen'':
He was all at sea when he started work in his new job.
Er war völlig ratlos, als er seinen neuen Job anfing.

SEARCH

— search me!
    (ich habe) keine Ahnung!:
Why did they move to that terrible neighbourhood? — Search me!
Warum sind sie in die schreckliche Gegend gezogen? — Keine
Ahnung!

SECOND

— on second thoughts
 wenn ich es mir recht überlege, bei reiflicher Überlegung:
On second thoughts I've decided not to buy this TV set.
Nach reiflicher Überlegung habe ich entschieden, diesen Fernseher nicht zu kaufen.

— to get one's second wind
 den toten Punkt überwunden haben, es endgültig schaffen, es
 (nach schwierigem Anfang) leichter haben:
After a year in his new job he has got his second wind.
Nachdem er ein Jahr in seinem neuen Beruf gearbeitet hat, fällt
ihm jetzt alles leichter.

SEE

— to see how the land lies
 sehen, wie der Hase läuft (od. was los ist), die Lage peilen:
I must ring him up and see how the land lies.
Ich muß ihn anrufen und einmal sehen, was nun los ist.

— to see s.o. home
 j-n nach Hause begleiten, j-n heimbegleiten:
He saw his girl-friend home long after midnight.
Er begleitete seine Freundin lange nach Mitternacht nach Hause.

— to see one's way to doing s.th.
 etw. möglich machen, etw. ermöglichen:
*I was glad the car mechanics could see their way to repairing the
car immediately.*
Ich war froh, daß die Automechaniker es möglich machen konnten, den Wagen sofort zu reparieren.

— to see to it that . . .
 zusehen, daß . . .; darauf achten, daß . . .; dafür sorgen,
daß . . .:
Please see to it that you are not late!
Sieh bitte zu, daß du nicht zu spät kommst!

— to see eye to eye (with s.o.)
 (mit j-m) ein Herz und eine Seele sein, (mit j-m) völlig übereinstimmen:

They saw eye to eye in everything they did.
Sie waren in allem, was sie taten, ein Herz und eine Seele.

SEED
— **to run** (od. **go**) **to seed**
   herunterkommen:
*Since his wife left him he's lost all interest in life and has
completely gone to seed.*
Seit seine Frau ihn verlassen hat, hat er für nichts mehr Interesse
und ist völlig heruntergekommen.

SELL
— **to sell like hot cakes**
   „weggehen wie warme Semmeln'':
His new book sold like hot cakes.
Sein neues Buch ging weg wie warme Semmeln.

SEND
— **to send s.o. about his business**
   j-n kurz abfertigen, j-n fort- od. wegschicken:
*He sent her about her business hoping to have seen the last of
her.*
Er schickte sie weg, in der Hoffnung, sie zum letztenmal gesehen
zu haben.

— **to send s.o. packing** → **pack.**

SENSE
— **to make (no) sense**
   Hand und Fuß (weder Hand noch Fuß) haben, (nicht) plausibel
   (od. vernünftig) sein, (keinen) Sinn ergeben:
Their letter makes no sense.
Aus ihrem Brief wird man nicht klug (od. schlau).

— **to make sense of s.th.**
   aus etw. klug (od. schlau) werden:
I cannot make sense of these notes.
Ich kann aus diesen Notizen nicht schlau werden.

SERVE
— **to serve s.o. right**
    j-m recht geschehen:
It serves you right that you lost that game of chess; you were far too sure of yourself.
Es geschieht dir recht, daß du die Partie Schach verloren hast; du hast dir viel zuviel eingebildet.

SET
— **to set the fashion**
    den Ton angeben:
Austria sets the fashion in skiing outfits.
Österreich ist in puncto Skiausrüstungen tonangebend (od. führend).

— **to set s.th. on foot**
    etw. in die Wege leiten:
After the embezzlements were discovered a general investigation was set on foot.
Nach der Aufdeckung der Unterschlagungen wurde eine allgemeine Untersuchung in die Wege geleitet.

— **to set one's face against s.th.**
    strikt(e) gegen etw. sein:
Tobacco-smoking was introduced into England during the reign of Queen Elizabeth I, but her successor, James I, set his face against it.
Das Tabakrauchen wurde während der Regierung Königin Elisabeths I. in England eingeführt, aber ihr Nachfolger, Jakob I., war strikt dagegen.

— **to set one's mind on s.th., to be set (up)on s.th.**
    fest zu etw. entschlossen sein, sich etw. fest vornehmen:
Martin has set his mind on learning foreign languages.
Martin hat sich fest vorgenommen, Fremdsprachen zu lernen.

— **to set out to do s.th.**
    sich vornehmen (od. sich dranmachen, darangehen), etw. zu tun:

He set out with the best intentions to help people.
Er ging mit den besten Vorsätzen ans Werk, den Menschen zu helfen.

— to be (dead) set against s.th.
   entschieden (od. strikte) gegen etw. sein:
   Her parents were dead set against the marriage.
   Ihre Eltern waren strikt(e) gegen die Heirat.

SHAKE
— to shake the dust off one's feet
   den Staub von den Füßen schütteln, die ungastliche Stätte verlassen:
   I shall be glad to shake the dust of this one-horse town off my feet.
   Ich bin froh, wenn ich aus diesem Nest herauskomme.

— no great shakes
   nichts Bemerkenswertes (od. Überwältigendes), nicht viel wert:
   Peter is no great shakes at skiing.
   Peter läuft nicht überwältigend Ski.

SHAME
— to put s.o. to shame
   j-n beschämen, auch: j-n in den Schatten stellen:
   This child's playing puts many a grown-up pianist to shame.
   Das Spiel dieses Kindes stellt manchen erwachsenen Pianisten in den Schatten.

— shame on you!
   pfui!, schäm dich!:
   Shame on you, Tommy! You're a very naughty boy!
   Schäm dich, Tommy! Du bist ein sehr unartiger Junge!

SHANK
— to go on shanks's mare (od. pony)
   „auf Schusters Rappen" reisen, zu Fuß gehen:
   We missed our train, so we had to go on shanks's mare.
   Wir versäumten den Zug, so mußten wir zu Fuß gehen.

Old-age pensioners refuse to be put on the shelf.

SHELF
— **to be (to put s.o.) on the shelf**
   ausrangiert sein (j-n aufs Abstellgleis schieben):
Old-age pensioners refuse to be put on the shelf.
Rentner wollen nicht aufs Abstellgleis geschoben werden.

SHIFT
— **to shift for oneself**
   auf sich selbst gestellt sein, es allein schaffen, allein weiter-
   kommen (od. zurechtkommen):
Many thanks for your help; I can shift for myself now.
Vielen Dank für deine Hilfe. Ich komme jetzt allein zurecht.

SHIP
— **when one's ship comes in** (od. **home**)
   wenn man sein Glück macht, wenn man zu Geld kommt:

When my ship comes home, I shall buy a smart new car.
Wenn ich einmal das Große Los gewinne, kaufe ich mir ein schikkes neues Auto.

SHOE
— to be in s.o.'s shoes
   „in j-s Haut stecken", an j-s Stelle sein (od. stehen):
You are not to be envied. I wouldn't like to be in your shoes.
Du bist nicht zu beneiden. Ich möchte nicht in deiner Haut stecken.

SHOP
— to talk shop
   fachsimpeln:
He can't stop talking shop at mealtimes.
Er kann es nicht lassen, beim Essen fachzusimpeln.

SHOT
— a shot in the arm
   eine „Aufmöbelung", eine „Geldspritze":
The building industry got a $ 80 000 000 shot in the arm.
Die Bauindustrie bekam eine Geldspritze von 80 000 000 Dollar.

— a shot in the dark
   ein Schuß ins Blaue, eine bloße Vermutung:
What she claimed to be fact was a mere shot in the dark.
Was sie als Tatsache ausgab, war eine blanke Vermutung.

— to have a shot at s.th.
   (mal) etw. versuchen (od. probieren):
I don't think I can drive that sports car but I would love to have a shot at it.
Ich glaube nicht, daß ich das Sportauto fahren kann, aber ich möchte es furchtbar gern mal versuchen.

— a long (od. random) shot
   eine vage Vermutung, eine entfernte Möglichkeit:

What she claimed to be fact was a mere shot in the dark.

It's a long shot, but I believe Charles is the father of Susan's baby.
Ich weiß zwar nichts Bestimmtes, aber ich glaube, Charles ist der Vater von Susans Baby.

— **not by a long shot**
  bei weitem (od. längst) nicht, keineswegs, weit gefehlt!:
Were you right in your estimate? — Not by a long shot. I thought 120 people would come, but there were only 60.
Hast du richtig geschätzt? – Weit gefehlt! Ich dachte, 120 Leute würden kommen, aber es waren nur 60.

— **like a shot** [sl.]
  1. wie der Blitz, wie ein geölter Blitz:
The frightened dog ran off like a shot.
Der verängstigte Hund rannte wie der Blitz davon.
  2. im Nu, prompt; auch: ohne zu zögern, ohne weiteres:
If we could help him, we would do it like a shot.
Wenn wir ihm helfen könnten, würden wir das ohne Zögern tun.

173

— **a big shot** [sl.]

ein „hohes Tier", ein „Bonze":

He's a big shot in the government.

Er ist ein hohes Tier in der Regierung.

SHOULDER

— **straight from the shoulder**

geradeheraus, unverblümt, ins Gesicht:

He told the young man straight from the shoulder what he thought of his conduct.

Er sagte dem jungen Mann unverblümt seine Meinung über sein Benehmen.

SHOW

— **to show one's hand** (od. **cards**)

seine Karten aufdecken (od. offen auf den Tisch legen), offen spielen:

The estate agent asked me to name a price, but I didn't show my hand until I knew how much his client was prepared to pay.

Der Immobilienhändler forderte mich auf, ihm einen Preis zu nennen, aber ich deckte meine Karten nicht auf, bevor ich wußte, was sein Klient zu zahlen bereit war.

— **to put on a show** [colloq.]

eine Schau abziehen:

The boy isn't really hurt, he's just putting on a show.

Der Junge ist in Wirklichkeit gar nicht verletzt, er zieht nur eine Schau ab.

— **to give the (whole) show away**

den ganzen Schwindel (od. alles) verraten, alles ausplaudern:

She talked and talked and gave the whole show away.

Sie redete und redete und plauderte alles aus.

— **to run the show** [colloq.]

„den Laden schmeißen":

He runs the show, even though he's not the boss of the undertaking.

Er schmeißt den ganzen Laden, wenn er auch nicht der Chef des Unternehmens ist.

— **to give s.o. a fair show**
    j-m eine echte Chance geben:
The teacher didn't like Peter very much, but in the exam he set his
dislike aside and gave him a fair show.
Der Lehrer mochte Peter nicht besonders, aber in der Prüfung ließ
er seine Abneigung außer acht und gab ihm eine echte Chance.

SHUT
— **to shut up**
    ,,das Maul'' (od. den Mund) halten:
Now just you shut up and be off with you!
Jetzt halt aber den Mund und verschwinde!

— **to shut s.o. up**
    j-m das Maul verbieten, j-n zum Schweigen bringen:
Can't you shut her up?
Kannst du sie nicht dazu bringen, daß sie den Mund hält?

SICK
— **to be sick (and tired)** (od. **sick to death**) **of s.th.**
    etw. gründlich satt haben:
I am sick and tired of listening to their constant complaints.
Es hängt mir zum Hals heraus, mir ständig ihre Klagen anzuhören.

SIDE
— **to split** (od. **burst, have to hold**) **one's sides ([with]**
    laughing, with laughter)
    sich vor Lachen biegen, vor Lachen umkommen:
When I saw her dressed like that, I nearly split my sides with
laughing.
Als ich sie in einem solchen Aufzug sah, konnte ich mich vor
Lachen kaum noch halten.

SIGHT
— **a sight for sore eyes**
    ein erfreulicher Anblick, eine Augenweide:

When all the trees are in full bloom the garden is really a sight for sore eyes!
Wenn alle Bäume in voller Blüte stehen, ist der Garten eine wahre Augenweide!

— **not by a long sight**
  bei weitem nicht:
Is she as pretty as her sister? — Not by a long sight!
Ist sie so hübsch wie ihre Schwester? — Bei weitem nicht!

SIT

— **to be sitting pretty**
  es gut haben, gut dran sein:
He was sitting pretty with six right in the pools.
Er war mit sechs Richtigen im Lotto gut dran.

— **to sit up (and take notice)**
  aufhorchen:
I hadn't been paying much attention to what the speaker was saying, but suddenly his words made me sit up and take notice.
Ich hatte den Ausführungen des Vortragenden wenig Beachtung geschenkt, aber plötzlich ließen mich seine Worte aufhorchen.

SIX

— **to be six of one and half a dozen of the other**
  gehupft wie gesprungen sein, Jacke wie Hose sein:
Whether you do the shopping now and the housework afterwards or vice versa is really six of one and half a dozen of the other.
Ob du jetzt einkaufst und hinterher die Hausarbeit machst oder umgekehrt, ist wirklich gehupft wie gesprungen.

— **to be at sixes and sevens**
  1. durcheinander sein, in kunterbuntem Durcheinander sein:
We have only just moved into this flat, and everything is still at sixes and sevens.
Wir sind eben erst in die Wohnung eingezogen, und alles ist noch in wilder Unordnung.
  2. sich in den Haaren liegen:

*The brothers are entirely different in temperament and constantly
at sixes and sevens.*
Die Brüder sind gegensätzlich wie Feuer und Wasser und liegen
sich ständig in den Haaren.

SKELETON
— **a skeleton in the cupboard, a family skeleton**
   ein dunkler Punkt, ein streng gehütetes Familiengeheimnis:
*Her brother's name was never mentioned. He was the skeleton in
the cupboard.*
Der Name ihres Bruders wurde nie erwähnt. Er war der dunkle
Punkt in der Familie.

SKIN
— **by the skin of one's teeth**
   um Haaresbreite, mit knapper Not:
She was saved only by the skin of her teeth.
Sie konnte mit knapper Not gerettet werden.

— **under s.o.'s skin**
   ,,an die Nieren'', ,,unter die Haut'':
The film got under my skin.
Der Film ging mir unter die Haut.
He'd got this girl Daniela under his skin.
Er konnte diese Daniela nicht vergessen.

SLATE
— **a clean slate**
   ,,eine weiße Weste'':
*The manager agreed to overlook his mistakes and let him start
again with a clean slate.*
Der Manager erklärte sich bereit, über seine Fehler hinwegzuse-
hen und ihn mit einer weißen Weste neu anfangen zu lassen.

SLEEVE
— **to have s.th. up one's sleeve**
   1. etw. bereit (od. auf Lager, ,,in der Hinterhand'') haben:

The chancellor had an emergency plan up his sleeve.
Der Kanzler hatte einen Notstandsplan auf Lager.
   2. etw. im Schilde führen, etw. in petto haben:
My sister is grinning from ear to ear. I wonder what she has got
up her sleeve now.
Meine Schwester grinst übers ganze Gesicht. Ich bin gespannt,
was sie jetzt wieder im Schilde führt.

SLIP
— **to give s.o. the slip**
   j-m entwischen:
By getting into one underground coach and out the next, the
escaped prisoner managed to give his pursuers the slip.
Der entsprungene Häftling konnte seinen Verfolgern entwischen,
indem er in einen U-Bahn-Wagen ein- und aus dem nächsten
gleich wieder ausstieg.

— **a slip of the tongue**
   ein Versprecher:
I didn't mean to hurt her feelings when I mentioned the name of
her ex-husband; it was just a slip of the tongue.
Ich wollte sie nicht verletzen, als ich den Namen ihres geschiede-
nen Mannes erwähnte; es war ein reiner Versprecher.

SMELL
— **to smell a rat**
   Lunte (od. den Braten) riechen, einen Verdacht hegen, Verdacht schöpfen:
No matter what we tell them, they will smell a rat.
Wir können ihnen erzählen, was wir wollen, es wird ihnen verdächtig vorkommen.

SNEEZE
— **not to be sneezed at** [colloq.]
   nicht zu verachten sein:
   He was offered a sum of money which was not to be sneezed at.
   Man bot ihm einen Geldbetrag an, der nicht zu verachten war.

SOFT
— **to have a soft spot for s.o.**
   eine Schwäche für j-n haben:
   He has a soft spot for dark-eyed girls.
   Er hat eine Schwäche für dunkeläugige Mädchen.

SOLD
— **to be sold on s.th.** [Am. colloq.]
   von etw. überzeugt sein, etw. gutheißen (od. befürworten), auf
   etw. eingeschworen sein:
   They are sold on the idea of profit-sharing.
   Sie sind überzeugte Anhänger des Gedankens der Gewinnbeteiligung.

SONG
— **for a (mere) song**
   ,,für ein Butterbrot'', spottbillig:
   The table was going at the auction for a mere song, so I bought it.
   Der Tisch war bei der Versteigerung spottbillig zu haben, da
   kaufte ich ihn.

— **to make a song and dance about s.th.** → make.

SORT
— **to be** (od. **feel**) **out of sorts** [colloq.]
   (gesundheitlich) nicht auf der Höhe sein; verstimmt (od.
   schlecht gelaunt) sein:
   I'm feeling completely out of sorts at present.
   Ich fühle mich momentan (gesundheitlich) gar nicht auf der Höhe.

SOUP
— **to be in the soup** [colloq.]
   in der Patsche (od. ,,Tinte'') sitzen:
Now they're properly in the soup, and it's all their own fault.
Jetzt sitzen sie ordentlich in der Patsche, und sie sind an allem selbst schuld.

SOW
— **to sow one's wild oats**
   ,,sich die Hörner abstoßen (od. ablaufen)'':
He sowed his wild oats as a student in Cambridge. Now he is a respectable politician.
Er stieß sich als Student in Cambridge die Hörner ab. Heute ist er ein angesehener Politiker.

SPADE
— **to call a spade a spade**
   das Kind beim (richtigen) Namen nennen:
I'm not afraid to call a spade a spade: He is an impostor.
Ich scheue mich nicht, das Kind beim Namen zu nennen: Er ist ein Hochstapler.

SPEAK
— **nothing to speak of**
   nicht der Rede wert, nicht von Bedeutung:
She is very grateful to us although what we did for her is nothing to speak of.
Sie ist uns sehr dankbar, obwohl das, was wir für sie getan haben, nicht der Rede wert ist.

SPEAKING TERMS
— **(not) to be on speaking terms**
   nicht (mehr) miteinander sprechen, miteinander böse sein:
We were friends for a long time, but we fell out and are no longer on speaking terms.
Wir waren lange Zeit Freunde, aber wir haben uns verkracht und sind jetzt miteinander böse.

SPIT

— **to be the spitting image** (od. **the spit and image, the dead spit**) **of s.o.**
   j-m wie aus dem Gesicht geschnitten sein:
   The girl is the spitting image of her mother.
   Das Mädchen ist seiner Mutter wie aus dem Gesicht geschnitten.

SPLASH

— **to make a splash** [colloq.]
   Aufsehen erregen, Furore machen:
   The big party on his fiftieth birthday will make a splash.
   Die große Party zu seinem fünfzigsten Geburtstag wird Furore machen.

SPLIT

— **to split the difference**
   sich in den Differenzbetrag teilen; sich auf halbem Wege einigen (od. entgegenkommen):
   You're asking £ 200, and I've offered you £ 120; let's split the difference and call it £ 160.
   Du verlangst 200 Pfund, ich biete dir 120 (Pfund). Einigen wir uns auf halbem Wege und sagen 160 (Pfund).

SPONGE

— **to sponge on s.o.** [colloq.]
   auf j-s Kosten leben, bei j-m schmarotzen:
   He was wealthy and tired of always being sponged on by his relatives.
   Er war wohlhabend und hatte es satt, daß seine Verwandten ständig bei ihm schmarotzten.

SQUARE

— **to be a square peg in a round hole**
   an der falschen Stelle stehen, nicht am richtigen Platz (od. am falschen Platz) sein:

to square the circle

Michael is only interested in music. He's something of a square peg in a round hole in his office.
Michael interessiert sich nur für Musik. Er ist in seinem Büro am falschen Platz.

— **to square the circle**
   das Unmögliche vollbringen:
I'm afraid your efforts to make him change his mind are in vain.
It's no use trying to square the circle.
Ich fürchte, deine Bemühungen, ihn umzustimmen, sind vergeblich. Du darfst nichts Unmögliches versuchen.

STAKE
— **to be at stake**
   auf dem Spiel stehen:
Her whole future was at stake at this interview.
Ihre gesamte Zukunft stand bei dieser Unterredung auf dem Spiel.

STAND

— **to stand by s.o. (s.th.)**
  (treu) zu j-m (etw.) stehen:
I know that he'll stand by his friends whatever may happen.
Ich weiß, daß er (treu) zu seinen Freunden steht, was auch immer geschieht.

— **to stand for s.th.**
  1. etw. bedeuten; auch: etw. darstellen:
M. D. stands for "Medicinae Doctor".
M. D. bedeutet „Medicinae Doctor".
He dislikes school and all it stands for.
Er kann die Schule und alles, was damit zu tun hat, nicht leiden.
  2. [Br.] für etw. kandidieren:
Stephen Richards is standing for (a seat in) Parliament.
Stephen Richards kandidiert für einen Sitz im Parlament.
  3. [colloq.] etw. (v)ertragen:
There was one thing she wouldn't stand for: (it was) being treated like a little girl.
Eines konnte sie nicht vertragen: wenn sie wie ein kleines Mädchen behandelt wurde.

— **to stand pat → pat.**

— **it stands to reason (that)**
  es versteht sich von selbst (, daß):
It stands to reason that he had to say no. The regulations didn't permit him to do otherwise.
Selbstverständlich mußte er nein sagen. Die Vorschriften erlaubten es ihm nicht anders.

— **to stand the racket**
  1. die Sache durchstehen, (die Probe) bestehen, durchhalten:
In his new position he has a lot of social obligations. I wonder whether he'll be able to stand the racket.
In seiner neuen Stellung hat er viele gesellschaftliche Verpflichtungen. Ich frage mich, ob er die Sache durchsteht.
  2. die Folgen tragen, die Zeche bezahlen:

This mad scheme was all your idea. Now you'll have to stand the racket.
Dieser verrückte Plan war ganz deine Idee. Jetzt kannst du die Zeche dafür bezahlen.

— to stand s.o. in good stead
j-m zustatten kommen, j-m nützlich sein:
I had taken an umbrella with me. It stood me in good stead when the rain began to pour down.
Ich hatte einen Regenschirm mitgenommen. Er leistete mir gute Dienste, als es zu schütten anfing.

— to stand treat [colloq.]
für die Zeche aufkommen, die Runde freihalten:
I've passed my examination. So come along with me. I'll stand you all treat!
Ich habe mein Examen bestanden. Kommt mit mir, ihr seid alle eingeladen (= ich halte euch alle frei).

— to stand in for s.o.
für j-n einspringen:
Whenever the manager was called away his assistant stood in for him.
Immer wenn der Manager weggerufen wurde, sprang sein Assistent für ihn ein.

— to stand on ceremony
die Etikette beachten, sehr förmlich sein:
Don't stand on ceremony, please — make yourself at home.
Mach bitte keine Umstände und tu, als wärst du zu Hause.

— to stand in s.o.'s light
j-m im Licht stehen, j-n am Fortkommen hindern:
He always stood in his younger brother's light.
Er stand seinem jüngeren Bruder stets im Licht.

— to stand in one's own light
sich selbst im Licht stehen, sich selber schaden:
Through her nervous fear the poor creature is standing in her own light.
Durch ihre nervöse Ängstlichkeit schadet sich die Ärmste selbst.

— **to stand up for s.o. (s.th.)**

für j-n (etw.) eine Lanze brechen, für j-n (etw.) eintreten:

She's my sister anyway, and I must stand up for her.

Immerhin ist sie meine Schwester, und ich muß zu ihr halten.

STAY

— **to stay put** [colloq.]

sich nicht (vom Fleck) rühren, (am Platz) bleiben; halten:

He had cut his finger and had to stay put while his wife went to fetch a bandage.

Er hatte sich in den Finger geschnitten und durfte sich nicht rühren, während seine Frau einen Verband holen ging.

This roller won't stay put. It falls down every time.

Der Lockenwickler da will nicht halten. Er fällt jedesmal wieder herunter.

STEAL

— **to steal a march on s.o.**

j-m zuvorkommen, j-m ein Schnippchen schlagen:

If you don't buy the carpet at once someone else will steal a march on you.

Wenn du den Teppich nicht sofort kaufst, kommt dir jemand anders zuvor.

— **to steal away**

sich davonschleichen, sich davonstehlen:

We stole away from the concert during the interval.

Wir stahlen uns während der Pause aus dem Konzert.

— **to steal s.o.'s thunder**

j-m den Wind aus den Segeln nehmen:

Before they could make their "special offer", the rival firm stole their thunder by springing almost the same article on the customers.

Ehe sie ihr „Sonderangebot" machen konnten, nahm ihnen die Konkurrenz den Wind aus den Segeln und bot der Kundschaft überraschend fast den gleichen Artikel an.

STICK

— **to stick at nothing**
    vor nichts zurückschrecken:
He will stick at nothing to get what he wants.
Er schreckt vor nichts zurück, um (das) zu erreichen, was er will.

— **to stick one's neck out** [sl.]
    etwas riskieren, „sich was trauen":
The minister is a politician who isn't afraid to stick his neck out.
Der Minister ist ein Politiker, der vor einem Risiko nicht zurück-
schreckt.

STONE

— **within a stone's throw of . . .**
    nur ein Katzensprung von . . . (entfernt):
They are living within a stone's throw of the British Museum.
Sie wohnen nur einen Katzensprung vom Britischen Museum
(entfernt).

STORE

— **to be in store for s.o.**
    j-m bevorstehen, auf j-n warten:
There's a treat in store for you: You've won a trip to the Bermudas
in the prize competition.
Dir steht eine angenehme Überraschung bevor: Du hast bei dem
Preisausschreiben eine Reise zu den Bermudas gewonnen.

— **to set great (little, not much, no) store by s.th.**
    großen (geringen, nicht viel, keinen) Wert auf etw. legen, viel
    (wenig, nicht viel, nichts) von etw. halten:
Young people seldom set much store by tradition.
Junge Leute halten selten viel von Tradition.

STRAIGHT

— **to keep a straight face**
    keine Miene verziehen, ernst bleiben:

186

He looked such a sight that it was impossible for us to keep a straight face.
Er sah so komisch aus, daß wir unmöglich ernst bleiben konnten.

— **to go straight**
keine „krumme Touren" mehr machen, auf den Pfad der Tugend zurückkehren:
He swore to go straight if he got out of this mess.
Er schwor, keine krummen Touren mehr zu machen, wenn er aus diesem Schlamassel herauskäme.

STRAW

— **not to be worth a straw**
keinen Pfifferling wert sein:
This new tin opener isn't worth a straw.
Dieser neue Dosenöffner ist keinen Pfifferling wert.

— **not to care a straw**
sich keinen Pfifferling (od. nicht die Bohne) darum kümmern:
I don't care a straw whether our team wins or not.
Es ist mir völlig schnuppe, ob unsere Mannschaft gewinnt oder nicht.

— **that's the last straw!** → **last**.

STRETCH

— **to do a stretch** [sl.]
„sitzen" (= eine Haftstrafe verbüßen):
His wife divorced him while he was doing a three-year stretch in prison.
Seine Frau ließ sich von ihm scheiden, während er für drei Jahre (im Gefängnis) saß.

— **to stretch one's legs**
sich die Beine vertreten:
After sitting down for a long time it's necessary to stretch one's legs every now and then.
Nach langem Sitzen muß man sich immer wieder einmal die Beine vertreten.

— to stretch a point → point.

STRIKE
— **to strike while the iron is hot**
    das Eisen schmieden, solange es heiß ist; die Gelegenheit
    ausnutzen:
Don't wait any longer! You must strike while the iron is hot.
Warte nicht länger! Du mußt das Eisen schmieden, solange es
heiß ist.

— **to strike it rich**
    zu Geld kommen, Erfolg haben:
Mr. Brown struck it rich by marrying a wealthy widow.
Mr. Brown ist durch seine Ehe mit einer wohlhabenden Witwe zu
Geld gekommen.

— **to strike a bargain**
    ein Geschäft machen, handelseinig werden:
We struck a bargain: Perkins let me have his saloon-car and I gave
him my convertible in exchange.
Wir wurden handelseinig: Perkins überließ mir seine Limousine,
und ich gab ihm dafür mein Kabriolett.

STRING
— **to have s.o. on a string**
    j-n am Gängelband (od. in seiner Gewalt, am Bändel) haben:
She liked to have several admirers on a string at the same time.
Es gefiel ihr, mehrere Verehrer zugleich am Bändel zu haben.

SUNDAY
— **a month of Sundays**
    ,,eine Ewigkeit'', lange Zeit:
I was so glad to see my parents again. I hadn't been home for a
month of Sundays.
Ich freute mich so, als ich meine Eltern wiedersah. Ich war eine
Ewigkeit nicht mehr zu Hause gewesen.

SWEEP

— **to sweep s.o. off his feet**

j-n hin- od. mitreißen, j-n überwältigen, j-n „umhauen":

As soon as he saw her, he was swept off his feet by her beauty.

Sobald er sie sah, war er von ihrer Schönheit hingerissen.

The singer swept her audience off their feet.

Die Sängerin riß das Publikum zu Begeisterungsstürmen hin.

— **to make a clean sweep of s.th.**

mit etw. „aufräumen" (od. reinen Tisch machen):

The new proprietor made a clean sweep of the whole kitchen staff.

Der neue Besitzer räumte mit dem gesamten Küchenpersonal gründlich auf.

SWEET

— **to have a sweet tooth**

ein Leckermäulchen sein, Süßigkeiten mögen:

I'll take her some chocolates. I know she has a sweet tooth.

Ich bringe ihr Pralinen mit. Ich weiß, sie mag Süßigkeiten.

SWIM

— **to be in (out of) the swim**

1. (nicht) auf dem laufenden (od. im Bilde) sein:

I've learnt a lot about my new job. Now I feel I'm fully in the swim.

Ich habe eine Menge über meine neue Arbeit gelernt. Jetzt habe ich das Gefühl, daß ich richtig drin bin.

2. (nicht) dabeisein, (nicht) mitreden (od. mithalten) können:

They stayed at the most fashionable hotel, just to be in the swim.

Sie wohnten im elegantesten Hotel, um auch mitreden zu können.

SWING

— **to get into the swing of things**

„den Bogen rauskriegen":

You must practise hard until you get into the swing of things.

Du mußt fest(e) üben, bis du den Bogen raus hast.

The new dress fits her to a T.

T

— **to a T**

haargenau:

The new dress fits her to a T.

Das neue Kleid paßt ihr wie angegossen.

Your plan suits me to a T.

Dein Plan paßt mir ganz ausgezeichnet (ins Konzept).

TAKE

— **to take (no) account of s.th., (not) to take s.th. into account**

etw. (nicht) beachten (od. berücksichtigen, in Betracht ziehen), (nicht) mit etw. rechnen:

You must take into account the possibility of a long wait at the customs.

Du mußt mit langen Wartezeiten am Zoll rechnen.

— to take a fancy to s.th. (s.o.)
    an etw. (j-m) Gefallen finden:
He had had no intention of changing his residence but on second thoughts took a fancy to the idea.
Er hatte nicht vorgehabt umzuziehen, aber nach längerer Überlegung gefiel ihm der Gedanke.

— to take a liking (dislike) to s.o. (s.th.)
    j-n (etw.) (nicht) leiden können, j-n (etw.) gern (nicht) mögen:
The child took a liking to the dog at once.
Das Kind hatte den Hund sofort ins Herz geschlossen.

— to take s.o. down a peg (or two)
    j-m einen gehörigen Dämpfer versetzen:
She's so arrogant. She needs to be taken down a peg or two.
Sie ist so arrogant. Man muß ihr einmal einen gehörigen Dämpfer versetzen.

— to take s.th. for granted
    etw. als selbstverständlich betrachten (od. hinnehmen):
You shouldn't take his fairness so much for granted.
Du solltest seine Anständigkeit nicht für so selbstverständlich halten.

— to take s.o. at a disadvantage
    j-s ungünstige Lage ausnutzen:
It's unfair of you to try to take me at a disadvantage.
Es ist unfair von dir, meine ungünstige Lage ausnutzen zu wollen.

— to take s.o. unawares (od. **by surprise**)
    j-n überraschen:
Death took him unawares when he was on a tour of Italy.
Der Tod ereilte ihn auf einer Italienreise.

— take it from me!, take my word for it!
    verlaß dich drauf!, das sag' ich dir!:
I'll pay you back for your insolent behaviour. Take my word for it!
Ich werde dir deine Frechheit heimzahlen, verlaß dich drauf!

— (not) to be able to take a joke
    (keinen) Spaß verstehen:

The boys like their teacher because he can take a joke.
Die Jungen mögen ihren Lehrer, denn er versteht Spaß.

— **to take after s.o.**
j-m nachschlagen (od. ähneln):
The girl takes after her mother's family.
Das Mädchen schlägt der mütterlichen Linie nach.

— **to take a chance**
sein Glück versuchen:
We took a chance and went to the theatre without booking a seat
in advance.
Wir gingen auf gut Glück ins Theater, ohne Karten vorbestellt zu
haben.

— **to take effect**
1. wirken, „sitzen":
He fired five shots all of which took effect.
Er gab fünf Schüsse ab, die alle trafen.
2. in Kraft treten, wirksam werden:
This regulation will take effect from next year.
Diese Vorschrift tritt vom nächsten Jahr an in Kraft.

— **to take exception to s.th.**
1. an etw. Anstoß nehmen, an etw. etwas auszusetzen haben:
The old lady took exception to the rude answers she got from her
nephew.
Die alte Dame nahm Anstoß an den ungezogenen Antworten, die
sie von ihrem Neffen bekam.
2. etw. übelnehmen, wegen etw. beleidigt sein:
Edith took exception to my assertion that she was ill-humoured.
Edith nahm mir meine Bemerkung übel, sie sei schlecht gelaunt.

— **to take heart**
Mut fassen, Hoffnung schöpfen:
They took heart from the fact that his illness hadn't got any worse.
Die Tatsache, daß sich seine Krankheit nicht verschlechtert hatte,
ließ sie Hoffnung schöpfen.

— **to take s.th. in one's stride**
etw. spielend leicht schaffen:

Anne took her brother's children in tow, and they all went off to the circus.

He was a bright student and took all his examinations in his stride.
Er war ein glänzender Student und schaffte alle Examen mit Leichtigkeit.

— **to take in(to) tow**
   ins Schlepptau nehmen:
Anne took her brother's children in tow, and they all went off to the circus.
Anne nahm die Kinder ihres Bruders ins Schlepptau, und sie gingen alle in den Zirkus.

— **to take it (all) in**
   alles „verdauen" (od. geistig verarbeiten):
The professor paused for some moments in his lecture so that the students could take it all in.
Der Professor hielt einen Moment in der Vorlesung inne, damit die Studenten alles richtig in sich aufnehmen konnten.

— **to take it** (od. **things) easy** → **easy**

— **take it or leave it**
   mach, was du willst!:
   *I think £ 2000 is far too much for this carpet. I've seen much
   cheaper ones elsewhere. — Take it or leave it. That's my price!*
   Ich finde, 2000 Pfund ist viel zuviel für diesen Teppich. Ich habe
   anderswo viel billigere gesehen. — Die Entscheidung liegt ganz
   bei Ihnen. Das ist jedenfalls mein Preis.

— **to take offence at s.th.**
   wegen etw. beleidigt sein, etw. übelnehmen:
   I hope you won't take offence at my criticism.
   Ich hoffe, du nimmst mir meine Kritik nicht übel.

— **to take the cake** (od. **biscuit)**
   den Vogel abschießen, alles übertreffen:
   *He knew all sorts of strange people, but this weird fellow took the
   cake.*
   Er kannte allerhand seltsame Menschen, aber dieser komische
   Kerl schoß den Vogel ab.

— **to have what it takes** → **have.**

— **to take to drink(ing)**
   zu trinken anfangen, zum Trinker werden:
   *The one-time star, finding himself no longer in favour, took to
   drinking.*
   Der ehemalige Filmstar begann zu trinken, nachdem er nicht mehr
   gefragt war.

— **to take s.o. to task**
   j-n „ins Gebet nehmen", j-m die Leviten lesen, j-n tadeln:
   I must take the girl to task for her forgetfulness.
   Ich muß dem Mädchen wegen seiner Vergeßlichkeit die Leviten
   lesen.

— **to take stock**
   Bilanz ziehen, sich über seine Lage klarwerden:
   *It is only now that we have a breathing space in which to take
   stock.*
   Erst jetzt haben wir eine Atempause, um uns über unsere Lage
   klarzuwerden.

On New Year's Eve we like to take stock of the events of the past year.
Am Silvesterabend ziehen wir gern Bilanz über die Ereignisse des vergangenen Jahres.

— **to take s.th. in good (bad) part**
  etw. gut aufnehmen (etw. übelnehmen):
Please don't take my criticism in bad part.
Bitte nimm mir meine Kritik nicht übel.

— **to take the plunge**
  den Sprung (ins Ungewisse) (od. den entscheidenden Schritt) wagen:
When will they take the plunge and get married?
Wann werden sie den Schritt (ins Ungewisse) wagen und heiraten?

— **to be taken with** (od. **by**) **s.th. (s.o.)**
  von etw. (j-m) eingenommen sein:
He was quite taken with her beautiful eyes.
Ihre schönen Augen hatten es ihm angetan.

TALK
— **to talk big**
  (groß) angeben, prahlen, ,,aufschneiden'':
I hate his talking big on every occasion.
Ich kann es nicht leiden, daß er bei jeder Gelegenheit groß angibt.

— **to talk through one's hat** [sl.]
  faseln, ,,Kohl reden'':
You're talking through your hat when you say that he's bankrupt.
Du redest Kohl, wenn du sagst, daß er Bankrott gemacht hat.

— **to talk turkey (to s.o.)** [Am. sl.]
  (mit j-m) Fraktur reden, ernsthaft (mit j-m) reden:
Someone should talk turkey to him and remind him of his duties as a government official.
Jemand sollte mal Fraktur mit ihm reden und ihn an seine Pflichten als Staatsbeamter erinnern.

— **to talk s.o.'s head off**
  j-m ein Loch in den Bauch reden:
*Here comes Mrs. Collins. Once she's got hold of you, she'll talk
your head off.*
Hier kommt Mrs. Collins. Wenn die dich einmal erwischt hat,
redet sie dir ein Loch in den Bauch.

TALL
— **that's a tall order**
  das ist ein bißchen viel verlangt:
*To expect him to turn over a new leaf at the age of seventy is really
a tall order.*
Von ihm zu verlangen, daß er mit siebzig Jahren ein neues Leben
anfängt, ist wohl ein bißchen viel verlangt.

— **a tall story**
  ein Lügenmärchen:
Don't expect me to believe such a tall story.
Glaub doch nicht, daß ich dir eine solche Lügengeschichte ab-
nehme!

TEETH
— **in the teeth of**
  trotz, ungeachtet:
The ship headed north in the teeth of a steadily rising gale.
Das Schiff nahm Nordkurs trotz eines aufkommenden Sturms.
They married in the teeth of their parents' strong disapproval.
Sie heirateten, obwohl ihre Eltern strikt dagegen waren.

— **to get one's teeth into s.th.**
  sich ernsthaft an etw. ranmachen, sich in etw. ,,hineinknien'':
Tommy got his teeth into the job and at last succeeded.
Tommy kniete sich in seine Aufgabe hinein und hatte am Ende Erfolg.

— **to put teeth into s.th.**
  e-r Sache Nachdruck verleihen, etw. verschärfen:
They have arms which can put teeth into their neutrality.
Sie besitzen Waffen, die ihrer Neutralität Nachdruck verleihen
können.

— to set s.o.'s teeth on edge → edge.

TELL

— **tell me another!, tell that to the marines!**
das kannst du mir nicht weismachen!, erzähl das j-d anderem,
das kannst du deiner Großmutter erzählen!:
You walked twenty miles yesterday? Tell me another!
Du bist gestern 30 Kilometer gelaufen? Das machst du mir nicht
weis!

— **you're telling me!**
wem sagst du das?, und das sagst du mir?:
He's an awful fellow! — You're telling me!
Er ist ein fürchterlicher Kerl! — Wem sagst du das!

— **there is no telling . . .**
man kann (noch) nicht sagen . . . , man weiß (noch) nicht:
There's no telling what will happen when he becomes president.
Man kann noch nicht sagen, was geschieht, wenn er Präsident
wird.

TERM

— **to be on good (bad) terms with s.o.**
mit j-m auf gutem (schlechtem) Fuß stehen:
The woman lived on good terms with her neighbours.
Die Frau lebte mit ihren Nachbarn auf gutem Fuß.

— **(not) to be on speaking terms** → **speaking terms.**

— **to come to terms**
sich einigen:
After arguing about the price for a long time they came to terms.
Nachdem sie lange über den Preis gestritten hatten, einigten sie
sich.

TETHER

— **to be at the end of one's tether**
am Ende seiner Kraft (od. seines Lateins) sein, nicht mehr
weiterkönnen (od. weiterwissen):

The poverty-stricken country was at the end of its tether.
Das verarmte Land war am Ende seiner Kraft.

THICK
— **that's a bit thick** (od. **rather thick**)! [colloq.]
  das ist (aber) ein starkes Stück!:
You want me to lend you money again? That's a bit thick! You pay me back what you owe me first!
Ich soll dir wieder Geld pumpen? Das ist aber ein starkes Stück! Zahl mir zuerst einmal das zurück, was du mir schuldest!

— **in the thick of** . . .
  mitten in . . . :
During the battle, the king was in the thick of it.
Während der Schlacht befand sich der König mitten im dichtesten Gewühl.
He's in the thick of a difficult job, don't disturb him!
Er steckt mitten in einer schwierigen Arbeit. Stör ihn nicht.

— **to be as thick as thieves**
  zusammenhalten wie Pech und Schwefel:
The children were as thick as thieves.
Die Kinder hielten zusammen wie Pech und Schwefel.

THING
— **it's just one of those things**
  da kann man nichts machen:
You failed your driving test? Well, it's just one of those things. You'll have to try again!
Du bist in der Fahrprüfung durchgefallen? Na ja, da kann man nichts machen! Du wirst es eben noch einmal probieren müssen.

— **(quite) the thing** [colloq.]
  1. ganz (od. genau) das richtige:
This scarf is quite the thing to go with your new dress.
Dieses Tuch paßt genau zu deinem neuen Kleid.
  2. die neueste Mode, gerade ,,in'':
These long dresses are quite the thing at the moment.
Diese langen Kleider sind gerade ,,in''.

— **to have a thing about s.th.** [colloq.]
etwas gegen etw. haben:
She has a thing about red-haired people.
Sie hat eine Abneigung gegen Rothaarige.

— **to know a thing or two (about)**
Bescheid wissen (über), sich auskennen (mit):
He knows a thing or two about computers.
Er kennt sich mit Computern aus.

THINK
— **to think better of s.th.**
sich etw. anders überlegen:
First I started to protest, but then I thought better of it and accepted the proposals.
Zuerst begann ich, Einwände zu machen, doch dann überlegte ich es mir anders und akzeptierte die Vorschläge.

THROW
— **to throw cold water on s.th.**
einer Sache einen Dämpfer aufsetzen, wie eine kalte Dusche auf etw. wirken; etw. schlechtmachen:
No matter what the government suggested, the opposition succeeded in throwing cold water on the idea.
Ganz gleich, was die Regierung vorschlug, die Opposition verstand es, die Idee schlechtzumachen.

— **to throw a spanner in(to) the works**
ein Hindernis in den Weg legen, die Sache hintertreiben:
Whatever we do, he will put up resistance and try to throw a spanner in(to) the works.
Was wir auch tun, er wird uns Widerstand entgegensetzen und die Sache zu hintertreiben versuchen.

— **to throw in** (od. **up**) **the sponge, to throw in the towel**
[colloq.]
das Handtuch werfen, sich geschlagen geben, die Flinte ins Korn werfen:

Her husband has her completely under his thumb.

Don't throw up the sponge! It may be a tough time for you, but you've a good chance of getting through it.
Gib nicht auf! Es wird vielleicht eine harte Zeit für dich, aber deine Chancen stehen gut, sie durchzustehen.

THUMB
— **under s.o.'s thumb**
   unter j-s Fuchtel:
Her husband has her completely under his thumb.
Ihr Mann hat sie vollkommen unter seiner Fuchtel.

— **thumbs up!**
   Kopf hoch!, recht so!:
Thumbs up, old boy! You've got the job.
Prima, Junge! Du hast die Stelle bekommen.

TICK
— **to tick s.o. off** [colloq.]
   j-m den Kopf waschen, j-n abkanzeln, j-n „herunterputzen":

My doctor ticked me off because I hadn't followed his instructions.
Mein Arzt hat mich heruntergeputzt, weil ich mich nicht an seine Vorschriften gehalten hatte.

— **to make s.o. tick** [colloq.]
die Triebfeder für j-s Handeln sein:
I shall never find out what makes him tick. Is it ambition or greed?
Ich werde den Grund seines Handelns nie herausfinden. Ist es Ehrgeiz oder Habsucht?

TIE
— **to be tied to s.o.'s apron-strings**
j-m am (od. an j-s) Rockzipfel hängen:
He will be tied to his mother's apron-strings forever.
Er wird seiner Mutter ewig am Rockzipfel hängen.

TIGHT
— **to be in a tight corner** (od. **spot**)
in der Klemme sein:
Nobody knows how we got out of this tight spot. It was pure luck.
Niemand weiß, wie wir aus dieser Klemme herauskamen. Wir hatten (dabei) mehr Glück als Verstand.
I'm in a bit of a tight corner at the moment. Would you mind waiting a little longer for the money I owe you?
Ich bin zur Zeit ein bißchen in der Klemme. Macht es dir etwas aus, noch etwas länger auf das Geld zu warten, das ich dir schulde?

TIME
— **to have no time for s.o.**
kein Interesse an j-m haben:
I have no time for this man at the moment.
Ich bin im Augenblick an dem Mann nicht interessiert.

— **for the time being**
im Augenblick, vorläufig, fürs erste:

We are not going to take legal action for the time being.
Wir werden vorläufig nicht gerichtlich vorgehen.

TIP
— **to have s.th. on the tip of one's tongue**
1. etw. auf der Zunge haben, etw. sagen wollen:
I had a sharp retort on the tip of my tongue, but I refrained from saying anything.
Eine scharfe Entgegnung lag mir auf der Zunge, aber ich unterließ es, etwas zu sagen.
2. etw. liegt (od. schwebt) einem auf der Zunge:
I had his name on the tip of my tongue, but then I had to answer the telephone and couldn't think of it any more.
Sein Name lag mir auf der Zunge, aber dann wurde ich ans Telefon gerufen, und danach war er mir wieder entfallen.

TIT
— **to give s.o. tit for tat**
j-m mit gleicher Münze heimzahlen:
He insulted her severely, but she gave him tit for tat.
Er beleidigte sie schwer, aber sie zahlte ihm mit gleicher Münze heim.

TONGUE
— **with one's tongue in one's cheek**
nicht ohne Hintergedanken, nicht ehrlich (gemeint):
He made a thousand excuses, but I knew he was speaking with his tongue in his cheek.
Er fand tausend Entschuldigungen, aber ich wußte, daß seine Worte nicht ehrlich gemeint waren.

TOOTH
— **to fight s.o. (s.th.) tooth and nail**
j-n (etw.) bis aufs Messer (od. mit allen Mitteln) bekämpfen:

The farmers fought the new measures tooth and nail.
Die Bauern bekämpften die neuen Maßnahmen mit allen Mitteln.

— to be long in the tooth
    alt (od. bejahrt) sein:
She's a bit long in the tooth to wear this kind of frilly dress.
Sie ist ein bißchen zu alt für diese Art von verspielten Kleidern.

TOP

— the top of the tree (od. **ladder**)
    die oberste Sprosse des Erfolgs, der Gipfel des Erfolgs:
*The famous conductor had reached the top of the tree at the age
of 35.*
Der berühmte Dirigent war mit 35 Jahren auf dem Gipfel des Erfolgs angelangt.

TOUCH

— it was (a case of) touch and go
    es stand auf des Messers Schneide:
It was touch and go whether the child would survive.
Es stand auf des Messers Schneide, ob das Kind überleben wür-
de.

— touch wood!
    toi, toi, toi!, unberufen!:
I haven't had an accident with this car as yet, touch wood!
Ich hatte bis jetzt mit diesem Wagen noch keinen Unfall, toi, toi,
toi!

TRICK

— to do the trick
    den gewünschten Zweck erfüllen:
Put another nail in there, that will do the trick.
Schlag dort noch einen Nagel ein, das hilft.

He's certainly a very talented young man but I don't like the way he always blows his own trumpet.

TRUCK
— **to have no truck with s.o. (s.th.)**
  mit j-m (etw.) nichts zu tun haben:
She wouldn't have the slightest truck with these people.
Sie wollte mit diesen Leuten nicht das geringste zu tun haben.

TRUMPET
— **to blow one's own trumpet**
  sein eigenes Loblied singen, sich selber loben (od. rühmen):
He's certainly a very talented young man but I don't like the way he always blows his own trumpet.
Der junge Mann ist zweifellos sehr talentiert, aber ich kann es nicht leiden, wie er ständig sein eigenes Loblied singt.

TUNE
— **to change one's tune, to sing another tune**
  einen anderen Ton anschlagen:

Seeing how angry her father was, she changed her tune.
Da sie sah, wie zornig ihr Vater war, schlug sie einen anderen Ton
an.

TURN

— **to turn one's hand to s.th.**
sich einer Sache zuwenden:
Edward is a clever boy who can turn his hand to anything.
Edward ist ein kluger Junge, den man zu allem gebrauchen kann.

— **to turn s.o.'s stomach**
j-m den Magen umdrehen, j-n anekeln:
It turned my stomach to see the ham alive with maggots.
Als ich sah, daß der Schinken von Maden wimmelte, drehte sich
mir der Magen um.

— **to turn over a new leaf**
ein neues Leben beginnen:
She has turned over a new leaf and is no longer involved in any
scandals.
Sie hat ein neues Leben angefangen und ist nicht mehr in Skan-
dalgeschichten verwickelt.

— **to turn s.th. over in one's mind**
sich etw. im Kopf herumgehen lassen:
He turned the suggestion over in his mind.
Er ließ sich den Vorschlag im Kopf herumgehen.

— **to turn tail**
das Hasenpanier ergreifen, ausreißen, weg-, davonlaufen:
The boy stopped for a moment, eyed the policeman, and then
suddenly turned tail and ran.
Der Junge hielt einen Moment lang inne, erspähte den Polizisten
und rannte dann plötzlich davon.

— **to turn the tables on s.o.**
j-m gegenüber den Spieß umdrehen, j-s Lage völlig verändern:
The defeat at Leipzig turned the tables on Napoleon.
Mit der Niederlage bei Leipzig wendete sich Napoleons Geschick.

— **to turn s.th. to account**
  etw. zu nutzen wissen, aus etw. Kapital schlagen, von etw.
  profitieren:
*She turned her misfortune to account by selling the story of her
accident to a magazine.*
Sie schlug Kapital aus ihrem Unglück, indem sie die Geschichte
ihres Unfalls an eine Illustrierte verkaufte.

— **to turn one's nose up at s.o. (s.th.)**
  die Nase über j-n (etw.) rümpfen:
*She has become rich overnight and turns her nose up now at such
simple meals.*
Sie ist über Nacht reich geworden und rümpft jetzt die Nase über
so einfache Gerichte.

— **not to turn a hair**
  unbeweglich (od. ruhig, unerschrocken) bleiben, nicht mit
  der Wimper zucken:
When the defendant heard his life sentence he didn't turn a hair.
Als der Angeklagte das Urteil ,,lebenslänglich'' hörte, zuckte er
nicht mit der Wimper.

U

UP

— **to be up and about** (od. **around**)
  wieder auf den Beinen sein:
She's up and about again after her severe illness.
Nach ihrer schweren Krankheit ist sie wieder auf den Beinen.

— **it's all up with s.th. (s.o.)**
  es ist aus mit etw. (j-m):
Somebody has given away all our plans. Now it's all up with us.
Irgend jemand hat all unsere Pläne verraten. Jetzt sind wir erledigt.

— **to be up against it**
  in der Klemme sein, ,,aufgeschmissen'' sein:
If help doesn't come soon, we shall be up against it.
Wenn uns nicht bald jemand zu Hilfe kommt, sind wir aufgeschmissen.

— **it's up to s.o. (to do s.th.)**
  es ist an j-m, es ist j-s Sache (,etw. zu tun):
  They made the first step towards a reconciliation. It's now up to you to meet them halfway.
  Sie haben den ersten Schritt zur Versöhnung getan. Jetzt ist es deine Sache, ihnen (auf halbem Wege) entgegenzukommen.

— **not to be up to much**
  nicht viel taugen (od. wert sein):
  Richard's birthday party wasn't up to much.
  Auf Richards Geburtstagsparty war nicht viel los.

— **to be up to s.th., to be up to no good**
  etw. im Schilde führen:
  Take care! That boy is always up to something.
  Nimm dich in acht! Der Junge da führt ständig was im Schilde.

— **to be on the up and up** [colloq.]
  stetig nach oben (od. aufwärts) gehen:
  Business was on the up and up, but suddenly a recession set in.
  Im Geschäftsleben ging es ständig aufwärts, doch plötzlich setzte eine Rezession ein.

UPPER
— **to be wrong in the upper storey** [sl.]
  nicht ganz richtig im Oberstübchen sein:
  He does all sorts of queer things. I think he's a bit wrong in the upper storey.
  Er macht lauter komisches Zeug. Ich glaube, er ist nicht ganz richtig im Kopf.

UPSET
— **to upset the (od. s.o.'s) apple-cart**
  alle (od. j-s) Pläne über den Haufen werfen (od. durcheinanderbringen):
  His refusal upset our apple-cart.
  Seine Weigerung warf unseren Plan über den Haufen.

UPTAKE

— **to be quick (slow) in the uptake**
eine schnelle Auffassungsgabe haben, schnell ,,schalten''
(schwer von Begriff sein, eine ,,lange Leitung haben''):
Barbara is a bright girl and quick in the uptake.
Barbara ist ein gescheites Mädchen und hat eine schnelle Auffassungsgabe.

V

VEIL

— **to draw a veil over s.th.**
etw. verschleiern (od. verbergen), über etw. schweigen:
Let's draw a veil over what happened later on.
Was dann noch passierte, davon reden wir besser nicht.

VENGEANCE

— **with a vengeance** [colloq.]
1. ,,auf Teufel komm raus'', mit aller Macht, wie besessen:
He beat the poor boy with a vengeance.
Er schlug wie besessen auf den armen Jungen ein.
2. gewaltsam, mit aller Gewalt:
She wanted to slim with a vengeance.
Sie wollte mit aller Gewalt abnehmen.
3. ,,mächtig'', ,,tüchtig'':
There will be trouble with a vengeance.
Es wird mächtig Schwierigkeiten geben.

VIEW

— **to take a light (grave, one-sided, poor, etc.) view of s.th.**
etw. optimistisch (ernst, einseitig, schlecht etc.) beurteilen:
You shouldn't take such a serious view of things.
Du solltest nicht alles so ernst nehmen.

W

WAGGON
— **to be** (od. **go) on the (water) waggon** [colloq.]
dem Alkohol abgeschworen haben, das Trinken aufgegeben
haben:
He was a real drunkard, but now he's on the (water) waggon.
Er war wirklich ein Säufer, aber jetzt hat er das Trinken aufgegeben.

WALK
— **to walk out on s.o.** [sl.]
j-n verlassen, j-m ,,davonlaufen'':
He can't be blamed for walking out on his wife. She's such a vixen.
Man kann es ihm nicht übelnehmen, daß er seine Frau verlassen
hat. Sie ist eine richtige Xanthippe.

WALKING PAPERS
— **to give s.o. his (to get one's) walking papers** [Am. colloq.] → **marching orders**

WARM
— **to make it warm for s.o.** → **make.**

WASTE
— **to waste one's breath** (od. **words)**
seine Worte verschwenden, in den Wind reden:
Don't waste your breath. They won't take your advice.
Spar dir deine Worte! Sie werden nicht auf deinen Rat hören.

WATER
— **to be in deep water(s)**
in Schwierigkeiten sein, Schwierigkeiten haben:
*The firm Biggs & Son is in deep water. They've incurred too many
liabilities.*
Die Firma Biggs & Sohn ist in (Zahlungs)Schwierigkeiten. Sie sind
zu viele Verpflichtungen eingegangen.

The firm Biggs and Son is in deep water. They've incurred too many liabilities.

— **of the first water**
von reinstem Wasser, erstklassig, ersten Ranges:
Bertrand Russell was a genius of the first water.
Bertrand Russell war ein Genie ersten Ranges.

WAY

— **to have a way with s.o.**
mit j-m gut umgehen können:
She has a way with old people.
Sie kann gut mit alten Leuten umgehen.

— **to have one's own way**
seinen Willen (od. Kopf) durchsetzen:
He always wants to have his own way without consideration for his fellow men.
Er will immer seinen Willen durchsetzen, ohne Rücksicht auf seine Mitmenschen.

WEATHER
— **to weather the storm**
  die Krise überstehen, die (finanziellen) Schwierigkeiten hinter
  sich bringen:
They struggled hard against their difficulties, and two years later
they had weathered the storm.
Sie kämpften verbissen gegen ihre Schwierigkeiten an, und zwei
Jahre später hatten sie die Krise überstanden.

— **to be** (od. **feel) under the weather** [colloq.]
  sich „mies" (od. nicht gut, nicht wohl) fühlen:
She is feeling rather under the weather and won't come to our
meeting tonight.
Sie fühlt sich gar nicht gut und wird heute abend nicht zu unserem
Treffen kommen.

WEIGHT
— **to throw one's weight about** [colloq.]
  sich (mächtig) aufspielen, seinen Einfluß geltend machen:
He was throwing his weight about as though he were the big boss.
Er führte sich auf, als wäre er der große Boß.

WET
— **to wet one's whistle** [colloq.]
  sich die Kehle anfeuchten, einen trinken (od. heben):
Here are two glasses and a bottle of beer. Perhaps you want to
wet your whistle.
Hier sind zwei Gläser und eine Flasche Bier. Vielleicht wollt ihr
etwas trinken.

WHAT
— **so what?**
  na und?, was tut's schon?, na wenn schon!:
She has an illegitimate child. So what?
Sie hat ein uneheliches Kind. Was ist schon dabei?

— **. . . and what not, . . . and what have you**
  . . . und sonst noch einiges (od. etliches):

He wrote novels, a play, several short stories and what have you.
Er schrieb Romane, ein Schauspiel, etliche Kurzgeschichten und
sonst noch einiges.

WHIP HAND
— **to have the whip hand (of** od. **over s.o.)**
  Gewalt (od. Macht, die Oberhand) (über j-n) haben, (über j-n)
  zu bestimmen haben, (j-m) Vorschriften machen können:
They negotiated as if they had the whip hand.
Sie verhandelten, als hätten sie zu bestimmen.

WHISTLE
— **to whistle for s.th.**
  auf etw. lange warten:
He did a sloppy job, and now he can whistle for his money.
Er hat schlampig gearbeitet; jetzt kann er lange warten, bis er sein
Geld bekommt.

WIN
— **to win hands down**
  spielend gewinnen:
*Mary won hands down. The other competitors were far behind
her.*
Mary gewann spielend. Die anderen Teilnehmer lagen weit hinter
ihr.

WIND
— **to have (to get) the wind up** [sl.]
  „Bammel" (od. „Schiß") haben (kriegen):
He got the wind up when he saw the lion coming up towards him.
Er kriegte mächtig Schiß, als er den Löwen auf sich zukommen
sah.

— **to raise the wind**
  das nötige Geld auftreiben (od. beschaffen):

He promised to raise the wind for the election campaign.
Er versprach, das nötige Geld für den Wahlkampf zu beschaffen.

WING
— **to take wing**
    sich „verflüchtigen", „verduften":
I was relieved when the fellow took wing after a while.
Ich war erleichtert, als der Kerl sich nach einiger Zeit wieder verzog.

WISE
— **to get wise to s.th.** [sl.]
    etw. „spitzkriegen" (od. merken), hinter etw. kommen:
We got wise to the fact that burglars had been here when we saw the mess in the room.
Wir kamen dahinter, daß Einbrecher hier gewesen waren, als wir das Durcheinander im Zimmer sahen.

— **to put s.o. wise to s.th.**
    j-m etw. „stecken", j-n in etw. einweihen:
Old-timers put him wise to the tricks of cardsharpers.
Alte Hasen weihten ihn in die Falschspielertricks ein.

WIT
— **to have one's wits about one**
    seine fünf Sinne beisammenhaben:
You will need to have your wits about you for the test.
Du wirst für den Test deine fünf Sinne zusammennehmen müssen.

WITH
— **to be** (od. **get**) **with it** [sl.]
    1. auf Draht sein, da sein, schwer auf der Höhe sein:
Wake up and get with it.
Wach auf und paß auf, was sich tut.
    2. modern (od. progressiv) sein, mit der Zeit gehen:
The young people next door are very trendy and with it.
Die jungen Leute von nebenan sind sehr modern und progressiv.

to keep the wolf from the door

WOLF

— to keep the wolf from the door
sich über Wasser halten, sich durchschlagen:
They had just enough to keep the wolf from the door.
Sie hatten gerade genug, um sich über Wasser halten zu können.

WOOD

— to be out of the wood
das Schlimmste überstanden haben, über den Berg sein:
Once we had paid the last instalment on our furniture we felt we were out of the wood.
Nachdem wir die letzte Rate für unsere Möbel bezahlt·hatten, hatten wir das Gefühl, das Schlimmste überstanden zu haben.

WORD

— to be as good as one's word
zu seinem Wort stehen, sein Wort halten:

She said she would give me back the book by Saturday, and she
is as good as her word.
Sie hat gesagt, sie würde mir das Buch bis Samstag zurückgeben,
und sie steht zu ihrem Wort.

— **to have words (with s.o.)**
   sich (mit j-m) streiten:
He and his friend had words, and they parted.
Er und sein Freund stritten miteinander, und sie trennten sich.

— **to be unable (hardly able) to get a word in edgeways**
   (od. edgewise)
   nicht (kaum) zu Wort kommen:
The guest speaker was hardly able to get a word in edgeways.
Der Gastredner konnte kaum zu Wort kommen.

WORK
— **to make short work of s.th. (s.o.)**
   kurzen Prozeß (od. nicht viel Federlesens) mit etw. (j-m) machen:
They made short work of the man's case and sent him off to
prison.
Sie machten nicht viel Federlesens mit dem Mann und steckten
ihn ins Gefängnis.

WORLD
— **for all the world**
   in jeder Hinsicht, (ganz) genau:
Charles is for all the world like his father when he was young.
Charles gleicht genau seinem Vater, als dieser jung war.

— **for all the world to see**
   vor aller Augen:
The white-haired statesman knelt down in front of the war me-
morial for all the world to see.
Der weißhaarige Staatsmann kniete vor aller Augen vor dem
Kriegerdenkmal nieder.

— out of this world
   „himmlisch", „sagenhaft":
Her voice is simply out of this world.
Ihre Stimme ist überirdisch schön.

WORSE
— the worse for wear
   1. alt und abgetragen:
The man's clothes were the worse for wear.
Die Kleider des Mannes waren alt und abgetragen.
   2. mitgenommen, abgerackert, verbraucht:
You're looking the worse for wear after all that work. Let's call it a day!
Du siehst nach all der Arbeit ganz mitgenommen aus. Machen wir Schluß für heute!

WORTH
— for all one is worth [colloq.]
   so gut (bes.: so schnell) man nur kann, wie verrückt, aus Leibeskräften:
We ran away for all we were worth.
Wir rannten davon, so schnell wir nur konnten.

— for what it is worth
   ohne Garantie:
That's the latest news. I pass it on to you for what it is worth.
Das ist das Neueste. Ich erzähle es dir (weiter), aber ich kann mich dafür nicht verbürgen.

WRONG
— to get hold of the wrong end of the stick
   1. die Sache völlig verkehrt anfassen (od. anpacken):
I think you're getting hold of the wrong end of the stick. Let me explain again.
Ich glaube, du packst die Sache völlig verkehrt an. Ich werde es dir noch einmal erklären.
   2. die Sache völlig mißverstehen (od. falsch auffassen):

He got hold of the wrong end of the stick: He ought to have invited the Pearsons, and not the Scotts for dinner.
Er hat die Sache völlig mißverstanden: Er hätte die Pearsons und nicht die Scotts zum Abendessen einladen sollen.

WRAP
— **to be wrapped up in s.th.**
    1. in etw. verborgen sein (od. liegen):
The unpleasant facts in the report were wrapped up in roundabout language.
Die unangenehmen Fakten in dem Bericht verbargen sich hinter einer umständlichen Formulierung.
    2. in etw. aufgehen:
He is wrapped up in his family (his work).
Er geht ganz in seiner Familie (seiner Arbeit) auf.
    3. von etw. eingesponnen sein, in etw. versunken sein:
The girl was all wrapped up in (her) thoughts.
Das Mädchen war ganz in (seine) Gedanken versunken.

Deutsches Register
der Übersetzungen

A

A (wer ~ sagt,...) 105, 143
ab (~ und zu) 132, 135
abblasen 32
abbrechen (alle Brücken hinter sich ~)
31
abfertigen (kurz ~) 168
abfinden (du wirst dich damit ~ müssen) 118
abgebrannt (völlig ~ sein) 18
abgehen (nicht von seiner Meinung ~)
140, 183
abgemacht! 16
abgerackert 216
abgerissen 56
abgesehen (~ [da]von) 116; (es auf j-n
~ haben) 95
abgewöhnen (j-m etw. ~) 28
abhauen 19, 38, 123
abkanzeln 200
abkratzen 109
abkühlen (j-n sich ~ lassen) 42
ablaufen (sich die Hörner ~) 180
abrechnen (mit j-m ~) 61
Abrechnung (~ halten) 165
abrücken (von seiner Meinung ~) 14
absagen 32
Absicht (mit der ~ zu...) 61
absolut 131
abspringen 14
Abstellgleis (aufs ~ schieben) 171
abstoßen (sich die Hörner ~) 180
abwarten 35
abziehen (eine Schau ~) 174
Achse (ständig auf ~) 86
achten (darauf ~, daß...) 167
aggressiv 38
ähneln (j-m ~) 192
ahnen 27
ähnlich (das sieht... ~!) 8, 118
Ahnung (keine ~!) 166
Alkohol (dem ~ abgeschworen haben)
209
all (~ es gut und schön) 9; (~ es andere
als) 10; (~ es in ~ em) 31; (~ es was
recht ist) 51; (um ~ es in der Welt)
117

allein (es ~ schaffen, ~ weiterkom-
men od. zurechtkommen) 171
allerbeste (das A ~) 112
allerhand 133
allerlei 133
allerneueste (das A ~) 112
Allgemeinheit (nicht für die ~ bestimmt) 155
allmählich 50
allzu 67
alt 203; (~ e Geschichten aufrühren) 54;
(~ und abgetragen) 216
Alter (~ schützt vor Torheit nicht) 72
Amtskollege 136
amüsieren (sich ~) 109
anbetreffen (was das anbetrifft) 65
Anblick (erfreulicher ~) 175
ander (alles ~ e als) 10; (etw. ganz ~ es
als) 65
anders (es sich ~ überlegen) 22
andrehen (j-m etw. ~) 140
anecken (darauf achten, daß man nicht
aneckt) 137
anekeln 205
Anerkennung (~ finden) 84
anfeuchten (sich die Kehle ~) 211
Anforderung (den ~ en entsprechen)
166
anfreunden (sich mit j-m ~) 77
angeben (gib nicht so an!) 41; (den Ton
~) 168; (groß ~) 195
angehen (etw. ~) 88
Angelegenheit (seine ~ en regeln) 104
angenehm (ein ~ es Leben führen) 119
angeschrieben (bei j-m gut/schlecht ~)
27
Angst (große ~ haben) 99
Anklang (~ finden) 37, 84
ankommen (= Anklang finden) 37
anmerken (sich etw. nicht ~ lassen) 63
anpacken 88
Anschluß (den ~ verpassen) 128
anschmieren 54
anschnauzen 25
ansehen (schief od. mißtrauisch ~) 12;
(haßerfüllt ~) 48
Ansicht (seine ~ durchsetzen) 34
anspielen (auf etw. ~) 57
Anstoß (~ nehmen an) 192

anstrengen (sich ~) 85, 150, 151
antreffen 126
Antrieb (aus eigenem ~) 5
Apfel (in den sauren ~ beißen müssen) 118
Arbeit (keine ~ haben) 120
arbeiten (bis spät in die Nacht [aufbleiben und] ~) 31
Ärger (~ hinunterschlucken od. verbergen) 24; (~ machen) 75
Arm (auf den ~ nehmen) 113; (j-m unter die ~e greifen) 115
Atem (j-m den ~ verschlagen) 28
Athen (Eulen nach ~ tragen) 39
aufatmen (erleichtert ~) 29
aufbleiben (bis spät in die Nacht ~ und arbeiten) 31
aufbrechen (Abszeß) 98
aufbürden (j-m etw. ~) 162
aufdecken (seine Karten ~) 174
Auffassungsgabe (schnelle ~) 208
auffrischen 30
aufgeben (Meinung) 14; (Reserve) 90
aufgehen (~ in) 217
aufgeschmissen 166, 206
aufhalsen 13, 116, 162
Aufhebens (viel ~ von etw. machen) 121, 179
aufhorchen 176
aufhören (hör schon auf damit!) 41; (mit der Arbeit ~) 111
aufkommen (für den Spaß ~) 141
aufkreuzen 150
aufladen (sich zuviel ~) 23
Aufmöbelung 172
aufnehmen (gut ~) 195
aufpolieren 30
aufräumen (mit etw. ~) 189
aufregen 85, 90
Aufregung (nur keine ~!) 59, 194
aufreiben 77
aufschneiden 195
aufschwingen (sich zu etw. ~ können) 68
Aufsehen (~ erregen) 181
aufspielen (sich mächtig ~) 211
auftreiben (Geld ~) 212
aufwärtsgehen (stetig ~) 207
Auge (ein ~ zudrücken) 25, 146, 188; (ein [wachsames] ~ haben auf) 62; (mutig ins ~ sehen) 62; (j-m schöne ~n machen) 81, 122; (vor aller ~n) 215
Augenblick (im letzten od. rechten ~) 130; (im ~) 201
Augenweide 175
aus (mit ihm ist es ~) 9; (~ und vorbei) 137; (es ist ~) 206

ausdenken (sich etw. ~) 42
auseinandersetzen (sich mit etw. ~) 88
ausfragen 144
ausgefahren (~e Geleise) 19, 162
ausgeschlossen! 131
ausgespielt (~ haben) 95
aushalten 160
aushöhlen (ein Argument ~) 111
auskennen (sich ~) 111, 112, 199
auskommen (mit etw. ~) 53; (mit j-m ~) 76, 78, (gut) 101; (mit seinen Einkünften ~) 121
auslachen (j-n ~ können) 113
auslassen (= auf etw. verzichten) 128
auslöffeln (die Suppe ~) 62
ausmachen (was macht es schon aus?) 134; (das macht mir überhaupt nichts aus) 154
Ausnahme (eine ~ machen) 146, 187
ausnahmsweise 25
ausnutzen 5; (die Gelegenheit ~) 188; (j-s ungünstige Lage ~) 191
ausplaudern (alles ~) 174
ausquatschen 18
ausquetschen 144
ausrangieren (ausrangiert sein) 171
ausreißen 26, 205
Ausschlag (den ~ geben) 165
ausschlaggebend (~ sein) 165
ausschreiten (tüchtig ~) 73, 151
Außenseiter 133
Äußere (nach dem ~n beurteilen) 63
außerhalb (~ des Schicklichen od. Erlaubten) 139
äußerlich (~ betrachtet) 62
ausspielen (seine Karten geschickt ~) 33
ausstechen 21
aussteigen (= von etw. abspringen) 14
auswählen (sorgfältig ~) 143
Auszeichnung 67
auszusetzen (etw. ~ haben an) 192

B

bald (= nach und nach) 31; (~ ... [alt] werden) 78, 85
Bammel (~ haben/kriegen) 212
Bändel (am ~ haben) 188
bar (für ~e Münze nehmen) 63
Bauch (j-m ein Loch in den ~ reden) 196
beachten 90; (die Etikette ~) 184
bedacht (auf seinen Vorteil ~ sein) 12; (auf etw. ~ sein) 124
bedenken 9, 10
bedeuten 183

222

durchblättern (flüchtig ~) 53
durchbohren (j-n mit Blicken ~) 48
durchbringen (sein Geld ~) 79
durcheinander (~ sein, in kunterbuntem D ~) 176
durcheinanderbringen 96, 122, 207
durcheinanderkommen 153
durchfeiern (die ganze Nacht ~) 121
durchhalten 183
durchmachen (die Nacht ~) 121; (eine harte Schule ~) 127
durchschlagen (sich ~) 214
durchsetzen (seine Ansicht ~) 34; (seinen Willen ~) 210
durchstehen 160, 183
dürfen (ich darf wohl sagen) 49
dürr (~ e Person) 15
Dusche (wie eine kalte ~ auf etw. wirken) 199

E

echt (~ e Chance) 175
Effeff (aus dem ~ beherrschen) 69
egal 9; (das ist mir völlig ~) 154
Ehre 67
ehrgeizig (~ e Pläne haben) 71
ehrlich (nicht ~ gemeint) 202
Ei (sich gleichen wie ein ~ dem anderen) 142
eigen (aus ~ em Antrieb) 5; (auf sein ~ es Wohl od. Ich bedacht sein) 132; (auf ~ en Füßen stehen) 138
eigennützig (~ e Zwecke verfolgen) 12
eigentlich 125
Eiltempo (im ~) 104
einbrocken (j-m etw. ~) 116
Eindruck (bei j-m keinen od. nicht viel ~ machen) 46; (keinen ~ machen) 64
einfallen (das fällt mir nicht im Traum ein) 37; (j-m ~) 44
Einfluß (seinen ~ geltend machen) 211
eingehen (sofort auf etw. ~) 107
eingenommen (~ sein von) 195
eingeschworen (~ sein auf) 179
eingesponnen (von etw. ~) 217
eingestehen 28, 40
einheizen (j-m tüchtig ~) 122, 209
einholen (j-n ~) 37
einig (mit j-m ~ sein) 136
einigen (sich ~) 197
einigermaßen 51
Einklang (im ~ stehen mit) 145
Einkünfte (mit seinen ~ n auskommen) 121
einlassen (sich mit j-m ~) 77
einrichten (sich ~) 121
einschlagen 37

einschmeicheln (sich bei j-m ~ wollen) 46
einschränken 47
einsehen (etw. [einfach] nicht ~ wollen) 25
einsetzen (sich ernsthaft ~) 150
einspringen (für j-n ~) 184
einstehen (für etw. ~) 10
einstürzen 81
eintreten 185
einverstanden (~ sein) 102
einweihen (j-n in etw. ~) 105, 152, 213
Einzelerfolg (ein kurzer ~) 70
Einzelheit (etw. in allen ~ en kennen) 106
Eisen (das ~ schmieden, solange es heiß ist) 96, 188
Eiswürfel (mit ~ n) 158
empfehlen (sich auf französisch ~) 74
empört (heftig ~) 10
Ende (am ~) 6, 158; (am ~ sein) 95, 115; (am ~ triumphieren) 113; (am ~ seiner Kraft od. seines Lateins) 197
endgültig 86
energisch (~ werden) 73, 151
eng (~ verbündet sein, ~ zusammenarbeiten) 91
Enge (in die ~ getrieben sein) 14
entfalten 44
entfernt (auf die ~ e Möglichkeit hin) 134; (~ e Möglichkeit) 172
entkräften (ein Argument ~) 111
entlassen 125, 209; (~ werden) 125, 209
entscheiden (sich ~) 123
entscheidend (den ~ en Schritt wagen) 195
Entscheidung (zur ~ kommen) 42
entschieden (~ gegen etw. sein) 170
entschließen (sich ~) 123
entschlossen (fest ~ sein) 169
entsprechen (den Erwartungen nicht ~) 65; (den Anforderungen ~) 166
entwischen (j-m ~) 178
entzweien (sich ~) 65
Erbarmen ([kein] ~ haben) 98
erbärmlich (eine ~ e Figur machen) 69
erblicken (plötzlich ~) 37
Erdboden (vom ~ verschwunden) 124
erdichten 42
erfahren (am eigenen Leib ~ haben) 42
Erfahrung (aus eigener [bitterer] ~ wissen) 42; (~ en sammeln) 47
Erfolg (zu einem ~ machen) 121; (~ haben) 188
erfolgreich (~ sein) 41
erfreulich (~ er Anblick) 175
ergreifen (das Wort ~) 70
erholen (sich ~) 126

223

Getue (viel ~) 121, 179
gewachsen (sich ~ fühlen) 61; (einer
  Sache ~ sein) 61, 68; (sich der Lage
  ~ zeigen) 157
Gewalt (mit aller ~) 127, 208; (in seiner
  ~ haben) 188; (~ haben) 212
gewaltsam 208
gewärtigen (zu ~ haben) 105
Gewicht (~ haben) 34; (das fällt nicht
  ins ~) 129
gewieft (~ sein) 111
gewinnen (an Boden ~) 89; (spielend
  ~) 212
gewissermaßen 11
Gewohnheit (j-m zur ~ werden) 89
gewonnen (damit ist die Sache schon
  halb ~, damit haben wir ~es Spiel) 90
Gipfel (~ des Erfolgs) 203
glätten (die Wogen ~) 148
glauben 49, 130
gleich (~ und ~ gesellt sich gern) 23;
  (mit ~er Münze heimzahlen) 202; →
  gleichgültig
gleichen (sich ~ wie ein Ei dem anderen) 142
gleichermaßen (~ gelten) 47
gleichgültig (völlig ~) 33
gleichtun (es j-m ~) 108
Gleis (aus dem ~ geraten) 153
glimpflich 78, 116
Glück (~ haben) 106; (wenn man sein
  ~ macht) 171; (sein ~ versuchen)
  192
Gram (sich vor ~ verzehren) 59
Gras (ins ~ beißen) 109
Grenze (sich hart an der ~ des Erlaubten bewegen) 162
griesgrämig 57
grollen (j-m ~) 19
groß (im ~en und ganzen) 31; (das
  G~e Los ziehen) 106; (~ angeben)
  195
größenwahnsinnig 22
Großmutter (das kannst du deiner ~
  erzählen) 197
Grund (~ zum Weinen od. Heulen) 81;
  (im ~ seines Herzens) 98
gültig (~ sein) 101
Gunst (sich j-s ~ erhalten) 108
gut (alles ~ und schön) 9; (eine ~e
  Figur machen) 69; (ein ~es Mundwerk haben) 80; (~e Miene zum
  bösen Spiel machen) 86; (ist schon
  ~!) 126; (es ~ haben, ~ dran sein)
  176; (~ aufnehmen) 195; (sich nicht
  ~ fühlen) 211
gutheißen 179
guttun 54

H

Haar (ein ~ in der Suppe) 72; (j-m die
  ~e zu Berge stehen lassen) 122;
  (sich in den ~en liegen) 176
Haaresbreite (um ~) 177
haargenau 190
haben (du kannst es ~) 9; (es so ~
  wollen) 12; (was man hat, das hat
  man) 22; (etwas od. ein Liebesver-
  hältnis mit j-m ~) 35; (das Zeug dazu
  ~) 95, 194; (etwas ~ gegen) 199
habhaft (~ werden) 92
Hahn (~ im Korb) 39
halb (damit ist die Sache schon ~ gewonnen) 90; (sich auf ~em Wege
  einigen od. entgegenkommen) 181
Hals (die Sache am ~ haben) 13; (einer
  Flasche den ~ brechen) 43
halten (etw. nicht ~) 84; (etwas/nicht
  viel/wenig/nichts von etw. ~) 102,
  186; (= am Platz bleiben) 185; (Wort
  ~) 214
Hand (besser ein Spatz in der ~ ...) 22;
  (seine ~ im Spiel haben) 69; (j-m die
  ~ entgegenstrecken) 81; (in andere
  Hände übergehen) 91; (zur ~ gehen)
  91; (aus erster ~) 103; (die Fäden in
  der ~ halten) 150; (~ und Fuß/weder
  ~ noch Fuß haben) 168
handelseinig (~ werden) 188
Handgelenk (aus dem ~) 45
handgemein (~ werden) 42
Handtuch (das ~ werfen) 199
Handwerk (j-m das ~ legen) 86
hängen (den Kopf ~ lassen) 55
Harnisch (in ~ geraten) 85
hart (auf die ~e Tour) 93; (eine ~e
  Schule durchmachen) 127; (~ für j-n)
  158; (~ an der Grenze des Erlaubten,
  ~ am Rande der Legalität) 162
Hase (sehen, wohin od. wie der ~
  läuft) 35, 167
Hasenfuß (ein ~ sein) 164
Hasenpanier (das ~ ergreifen) 205
Haufen (über den ~ werfen) 96, 122,
  207; (einen ~ Geld machen) 145
Hauptperson (die ~ sein) 39
Häuschen (j-n ganz aus dem ~ bringen)
  70; (aus dem ~ geraten) 96
hausen (wie die Schweine ~, armselig
  ~) 145
haushoch 97
Haut (~ und Knochen) 15; (mit heiler ~
  davonkommen) 163; (seine ~ retten)
  163; (in j-s ~ stecken) 172; (unter die
  ~) 177
Hebel (alle ~ in Bewegung setzen) 115

rauskriegen (den Bogen ~) 189
rausschmeißen 38, 125, 162, 209; (raus-
  geschmissen werden) 38, 162
realistisch 56
Rechenschaft (zur ~ ziehen) 32
rechnen (mit etw. ~) 16, 190
Rechnung (eine alte ~ begleichen) 165
recht (alles was ~ ist) 51; (im ~en
  Augenblick) 130; (j-m ~ geschehen)
  168; (~ so!) 200
Rechtfertigung (zu seiner ~ vorbringen) 164
rechtzeitig (gerade [noch] ~) 130
Rede (der langen ~ kurzer Sinn) 119;
  (nicht der ~ wert!) 126, 180
redegewandt (~ sein) 80
reden (ständig von etw. ~) 85; (Kohl
  ~) 195; (Fraktur ~, ernsthaft mit j-m
  ~) 195; (in den Wind ~) 209
regeln (seine Angelegenheiten ~) 104
Regen (vom ~ in die Traufe kommen)
  75
Regiment (das ~ führen) 159
reich (~ werden) 145
reichen (jetzt reicht's mir aber!) 112, 187
reiflich (~e Überlegung) 167
rein (aus ~em Vergnügen) 110; (~en
  Tisch machen) 189; (vom ~sten
  Wasser) 210
reinhauen (beim Essen) 65
reinlegen 54, 149, 157
reißen (Witze ~) 43; (sich am Riemen
  ~) 88
Reiz (der Sache den ~ nehmen) 80
reizbar 38
reizlos (die Sache ~ machen) 80
Reserve (seine ~ aufgeben) 89
retten (seine Haut ~) 163
Retter (~ in der Not sein) 163
richtig (~ raten od. vermuten) 100;
  (ganz od. genau das ~ e) 152, 198;
  (ganz ~) 157; (nicht ganz ~ im Oberstübchen) 207
riechen (Lunte od. den Braten ~) 178
Riemen (sich am ~ reißen) 88
Riesenspaß 109
Riesenwirbel (einen ~ machen) 154
Risiko (kein ~ eingehen) 146
riskieren (Kopf und Kragen ~) 156;
  (etwas ~) 186
Rockzipfel (j-m am ~ hängen) 201
Rolle (das spielt keine ~!) 129, 134
Roß (auf dem hohen ~ sitzen) 102
rot (~e Zahlen) 155
Ruck (sich einen ~ geben) 88
Rücken (j-m den ~ stärken) 15
rückgängig (~ machen) 32
Rückhalt (einen ~ haben an) 64

rückhaltlos (~ offen sein) 40
ruckweise 70
Rüffel (j-m einen ~ erteilen) 56
Ruhe (immer mit der ~!) 59, 194; (sich
  nicht aus der ~ bringen lassen) 90;
  (in ~ lassen) 116; (die Situation mit
  ~ meistern, die ~ selber bleiben)
  146; (für ~ sorgen) 148
ruhig (~ bleiben) 206
rühmen (sich selber ~) 204
rühren (sich nicht ~) 117; (sich nicht
  vom Fleck ~) 185
Rummel (den ~ kennen) 111
rümpfen (die Nase ~) 120, 206
Runde (die ~ freihalten) 184
runzeln (die Stirn ~) 110
rupfen (ein Hühnchen zu ~ haben) 26,
  143

S

Sache (das ist deine ~) 13; (zur ~
  kommen) 27; (nicht zur ~ gehören)
  125; (das tut nichts zur ~) 129; (es ist
  j-s ~) 207
Sack (mit ~ und Pack) 15; (in den ~
  stecken) 111; (die Katze im ~ kaufen)
  145
Sackgasse (in eine ~ geraten) 50
sagen (das sag' ich dir!) 128, 151, 191,
  215; (die, die etwas zu ~ haben) 148;
  (was du nicht sagst! sag bloß ...!)
  163; (~, was man zu ~ hat) 164; (et-
  was/nichts etc. zu ~ haben) 164;
  (wem sagst du das? und das sagst du
  mir?) 197; (man kann [noch] nicht ~)
  197; (etw. ~ wollen) 202
sagenhaft 216
sammeln 93
Samthandschuh (j-n (nicht) mit ~en
  anfassen) 83
satt (~ haben) 68; (gründlich ~ haben)
  175
sauer (j-m das Leben ~ machen) 113;
  (in den sauren Apfel beißen müssen)
  118
Saus (in ~ und Braus) 67
schäbig (~ aussehen) 56
schablonenhaft 47
schaden (sich selber ~) 184
Schäfchen (sein ~ ins trockene bringen) 67
schaffen (es ~) 48, 167; (es allein ~)
  171
schalten (schnell ~) 208
schämen (schäm dich!) 170
Schärfe (die ~ nehmen) 60
Schatten (in den ~ stellen) 111, 170

Sinn (j-m in den ~ kommen) 44; (von ~en sein) 127; (ohne ~ und Verstand) 156; ([keinen] ~ ergeben) 168; (seine fünf ~e beisammenhaben) 213
Situation (die ~ souverän meistern) 146
sitzen (= ins Schwarze treffen) 102; (= Haftstrafe verbüßen) 187; (= wirken) 192
so (~ leidlich, ~ lala) 64; (nein, ~ was!) 130
Socke (sich auf die ~n machen) 122
sofort 155
sonst (wie ~ was) 118; (~ noch einiges od. etliches) 211
sorgen (dafür ~, daß …) 167
souverän (die Situation ~ meistern) 146
soviel (noch einmal ~) 6; (~ ich weiß) 74
sozusagen 11
Spannung (nervöse ~) 108
sparen (sich seine Worte ~) 28
Spaß (zum ~) 110; (nur zum ~) 113; (für den ~ aufkommen) 141; ([keinen] ~ verstehen) 191
spät (bis ~ in die Nacht aufbleiben [und arbeiten]) 31; (zu ~ kommen) 128
Spatz (besser ein ~ in der Hand als eine Taube auf dem Dach) 22
Spiel (mit j-m ein falsches ~ treiben) 65; (seine Hand im ~ haben) 69; (gewonnenes ~ haben) 90; (auf dem ~ stehen) 182
spielen (das spielt keine Rolle) 129, 134; (was wird im Theater etc. gespielt?) 135; (mit j-m ~) 146; (seine Beziehungen ~ lassen) 150; (offen ~) 174
spielend (~ leicht schaffen) 192; (~ gewinnen) 212
Spielverderber 24
Spieß (den ~ umdrehen) 205
Spießruten (~ laufen unter) 160
spinnen 18
Spitze (die ~ nehmen) 60
spitzen (die Ohren ~) 148
spitzkriegen 213
Spleen (einen ~ haben) 20
spottbillig 179
sprechen (im Rundfunk ~) 6; (ein Machtwort ~) 73, 151; (nicht [mehr] miteinander ~) 180, 197
springen (gehupft wie gesprungen) 176
Sprosse (die oberste ~ des Erfolgs) 203
Sprung (den ~ [ins Ungewisse] wagen) 195
sprunghaft 114

Spur (keine ~ von …) 79
spüren 27
ständig (~ von etw. reden) 85
Standpauke (j-m eine ~ halten) 56
Standpunkt (seinen ~ behaupten) 101
Stange (bei der ~ bleiben) 89
stark (ein ~es Stück) 198
startklar (alles ~ machen) 38
stattfinden 41
Staub (sich aus dem ~ machen) 26, 123, 165; (den ~ von den Füßen schütteln) 170
stecken (seine Nase in etw. ~) 131; (j-m etw. ~) 152, 213
Stegreif (aus dem ~) 45
stehen (wie steht's mit …?) 5; (nicht zu etw. ~) 84; (zu j-m ~) 183; (im Licht ~) 184; (zu seinem Wort ~) 214
Stelle (auf der ~) 155; (an j-s ~ sein od. stehen) 172; (an der falschen ~ stehen) 181
stellen (sich der Polizei ~) 82
sterben 109
Stich (im ~ lassen) 84, 115
stichhaltig (~ sein) 101
Stiel (mit Stumpf und ~) 158
Stille (mitten in der ~ der Nacht) 50
stimmen 101
stinkwütend (~ werden) 71
Stirn (… die ~ bieten) 62; (die ~ haben zu …) 62; (die ~ runzeln) 110
stolz (etw., worauf man ~ sein kann) 67
stoßen (j-m Bescheid ~) 78; (auf etw. ~) 161
Strang (über die Stränge schlagen) 109
Straße (sich auf der ~ herumtreiben) 160
Streber 58
Streit (in ~ geraten) 65; (mit j-m ~ anfangen, einen ~ vom Zaun brechen) 143
streiten (sich mit j-m ~) 215
streng (j-n ~ halten) 156
Strich (j-m gegen den ~ gehen) 86
strikt(e) (~ gegen etw. sein) 169, 170
Strohfeuer 70
Stück (ein starkes ~) 198
stufenweise 59
Stumpf (mit ~ und Stiel) 158
Stunde (in letzter ~) 60
Stunk (~ machen) 75
stürzen (sich ~ auf) 49, 107
stützen (sich auf nichts ~ können) 115
suchen 6; (~ nach) 35
Suppe (die ~ auslöffeln) 62; (ein Haar in der ~) 72
Süßigkeiten (~ mögen) 189
Szene (eine ~ machen) 34

T

tadeln 194
Tag (auf den ~ genau) 49; (bis auf den
heutigen ~) 50; (schlechter ~) 134
Tasche (sicher in der ~ haben) 15; (j-n
in die ~ stecken) 157
Tat (auf frischer ~) 155
tätlich (~ werden) 42
tatsächlich 125
taugen (überhaupt nichts ~) 163; (nicht
viel ~) 207
Teil (seinen ~ tun) 23; (seinen ~ leisten) 150
teilen (Differenzbetrag ~) 181
Tempo (~ vorlegen) 44
Teppich (unter den ~ kehren) 29
Teufel (der ~ soll mich holen, wenn ...)
25; (sich den ~ um etw. scheren) 49;
(wenn man den ~ nennt ...) 51; (der
~ ist los) 67; (in ~s Küche) 103; (auf
~ komm raus) 208
Theater (ein ~ machen) 34
Themenkreis (einen weiten ~ umfassen) 88
Tier (hohes ~) 174
Tinte (in der ~ sitzen) 180
Tisch (mit der Faust auf den ~ hauen)
73, 151; (seine Karten offen auf den
~ legen) 174; (reinen ~ machen) 189
toben 160
Tod (zu ~e erschrocken sein) 99
toi, toi, toi! 203
Toilette (auf die ~ gehen) 143
toll (es ~ treiben) 84
Ton (den ~ angeben) 169; (einen anderen ~ anschlagen) 204
Tonart (In immer neuen ~en wiederholen) 157
Torheit (Alter schützt vor ~ nicht) 72
tot (~er Punkt) 50, 167
Tour (auf die harte ~) 93; (keine krummen ~en mehr machen) 187
tragen (sich selbst ~) 141
trauen (sich überhaupt nichts ~) 164;
(sich was ~) 186
Traufe (vom Regen in die ~) 75
Traum (das fällt mir nicht im ~ ein!) 37
traurig (eine ~e Figur machen) 69
treffen (auf etw. ~) 161
treiben (zu weit ~) 34; (es wild ~) 34;
(es toll ~) 84
Triebfeder (die ~ für j-s Handeln sein)
201
trinken (zu ~ anfangen) 194; (das T~
aufgegeben haben) 209; (einen ~)
211
Trinker (~ werden) 194
triumphieren (am Ende ~) 113

trocken (sein Schäfchen ins ~e bringen) 67
trotz 196; (~ alledem) 73
trotzdem 9
trotzen (einer Sache ~) 62
Trumpf (noch einen ~ in der Hand haben) 32
Tugend (auf den Pfad der ~ zurückkehren) 187
tummeln (sich ~ = sich beeilen) 119
tun (nichts mit dem Thema/der Frage
zu ~ haben) 21; (nichts mehr zu ~
haben wollen mit) 54; (nichts zu ~
haben [wollen]) 91, 204; (nichts
zu ~ haben = ohne Arbeit sein) 120;
(nicht wissen, was man ~ soll) 120;
(was tut's schon?) 134, 211
türmen 26, 100
typisch (das ist ~ für ihn) 8

U

übel (~ dran) 15; (in übler Lage) 56;
(nicht ~ Lust haben) 90; (gar nicht so
~) 90; (j-m ~ mitspielen) 155
übelnehmen 10, 192, 194, 195
über (~ sein) 111
überaus (~ viel) 60
Überbleibsel 133
Übereifriger 58
übereinstimmen (voll und ganz mit j-m
~) 83; (mit j-m ~) 84, 136; (mit j-m
völlig ~) 167
übergehen (j-n ~) 115
übergeschnappt 96; (völlig ~) 120
überhaupt (das macht mir ~ nichts aus)
154
überlaufen (es überlief mich eiskalt) 44
überlegen[1] (haushoch ~ sein) 97; (weitaus ~ sein) 97, 111; (j-m weit ~
sein) 157
überlegen[2] (es sich anders ~) 22; (wenn
ich es mir recht überlege) 167; (sich
etw. anders ~) 199
Überlegung (bei reiflicher ~) 167
übernehmen (sich ~) 30
überraschen 191
Überraschung 110
überschnappen 96, 153
übersehen (absichtlich:) 25; (unbeachtet:) 115
überstehen (die Krise ~) 211; (das
Schlimmste überstanden haben) 214
übertreffen (weit ~) 111; (alles ~) 194
übertreiben 34, 145
übertrieben 67
übervorteilen 5
überwältigen 189

235

zudrücken (ein Auge ~) 25, 146, 188
zuerst (wer ~ kommt, mahlt ~) 58
Zug (in einem ~ e) 155
Zugang (freien ~ haben) 159
zugehen (~ auf [einen Zeitpunkt]) 78, 85
zugreifen (sofort bei etw. ~) 107
zugrunde (~ gehen) 54, 147, 152
zugute (~ halten) 10
zulangen (tüchtig ~) 65
zumindest 154
zumuten (sich zuviel ~) 23
Zunge (das Herz auf der ~ haben od. tragen) 99; (etw. auf der ~ haben) 202; (etw. liegt od. schwebt einem auf der ~) 202
zurechtbiegen 116
zurechtkommen (mit j-m ~) 78; (allein ~) 171
zurechtstutzen 116
zurückbleiben (~ hinter) 64
zurückgreifen (auf etw. ~) 64
zurückhalten (sich ~) 103, 122
zurücklegen (eine beträchtliche Wegstrecke ~) 88
zurücknehmen (seine Worte ~) 59
zurückschrecken (vor nichts ~) 186
zusammenbrauen (etw. ~ = ausden-

ken) 42
zusammenbrechen 81
zusammenhalten (~ wie Pech und Schwefel) 198
zusammenreißen (sich ~) 88
zusammenstecken (die Köpfe ~) 97
zusammenziehen (die Brauen ~) 110
zusehen (~, daß …) 167
zusetzen (j-m ~) 113
zuspitzen (sich ~) 42, 98
zustatten (j-m ~ kommen) 184
zustimmen (j-m ~) 65
zutiefst (j-n ~ verletzen) 47
zutrauen (es j-m ~) 151
Zutritt (freien ~ haben) 159
zutun (kein Auge ~) 17
zuvorkommen (j-m ~) 185
zuvortun (es j-m ~) 83
zuwenden (sich einer Sache ~) 205
zuwider (j-m ~ sein) 86
Zweck (eigennützige ~ e) 12; (den gewünschten ~ erfüllen) 203
Zweifelsfall (im ~ zu j-s Gunsten entscheiden) 20
zweischneidig (ein ~ es Schwert sein) 47
Zwickmühle (in einer ~) 51
zwölf (fünf Minuten vor ~) 60

Langenscheidts Taschenwörterbuch Englisch

Erweiterte Neuausgabe
Teil I: Englisch-Deutsch 672 Seiten.
Teil II: Deutsch-Englisch 672 Seiten.
Beide Teile auch in einem Band. Format 9,6 × 15,1 cm, Plastikeinband.

Dieses handliche und zugleich umfassende Wörterbuch enthält mit rund 95 000 Stichwörtern und Wendungen in beiden Teilen den modernen Wortschatz der Umgangs- und Fachsprache. Es ist für den Gebrauch in der Schule und im Beruf ebenso geeignet wie für die Reise und fremdsprachliche Lektüre.

Langenscheidts Verb-Tabellen Englisch

64 Seiten, Format 12,4 × 19,2 cm, 2farbig, kartoniert-laminiert.

Musterbeispiele für alle Konjugationsklassen der regelmäßigen und unregelmäßigen Verben. In Tabellen übersichtlich dargestellt und somit leicht erlernbar. Dazu eine Liste der wichtigsten unregelmäßigen Verben, jeweils mit Verweis auf die entsprechende Konjugationstabelle.

Langenscheidts Kurzgrammatik Englisch

64 Seiten, Format 12,4 × 19,2 cm, kartoniert-laminiert.

Kurzgefaßt, übersichtlich geordnet enthält sie alle wichtigen grammatischen Regeln und Eigenheiten der Fremdsprache. Diese Grammatik ist für ein rasches Nachschlagen ebenso geeignet wie für die Festigung von Kenntnissen.

Langenscheidts englische Lektüren

Strange Adventures (Bd. 4) · 13 Whodunits (Bd. 13) · Laugh and Be Merry (Bd. 15) · Short Stories (Bd. 42) · Humorous Short Stories (Bd. 60) · The Birds / Kiss me again, Stranger (Bd. 61) · A Steinbeck Reader (Bd. 66) · Murder! Murder? Murder! (Bd. 67) · So spricht der Amerikaner (Bd. 70) · Spotlights (Bd. 71) · Scoundrels (Bd. 72)

104 bis 136 Seiten, Format 11 × 18 cm, kartoniert-laminiert.

Diese Lektürebände enthalten Texte, die den Werken verschiedener englischer Schriftsteller entnommen sind. Sie sind zweispaltig angelegt und enthalten Vokabelhilfen am Rand. Umständliches Nachschlagen weniger geläufiger Wörter entfällt.

Langenscheidt